LES DATES CLÉS

Collection dirigée par Philippe Conrad, Jean-Pierre Deschodt et Christophe Réveillard

La nouvelle Grande Russie
De l'effondrement de l'URSS au retour de Vladimir Poutine

Xavier Moreau

- Histoire
- Institutions
- Économie
- Politiques intérieures
- Relations internationales
- Perspectives

elli

Remerciements

Les remerciements de l'auteur vont à Christophe Réveillard, Aymeric Chauprade, Gilles Walter, Xavier de Leymarie, Yulia Moreau.

Éditeur : Aymeric Chauprade

ISBN 978-2-7298-7351-6
©Ellipses Édition Marketing S.A., 2012
32, rue Bargue 75740 Paris cedex 15

www.editions-ellipses.fr

Abréviations utilisées

PCUS	Parti communiste d'Union soviétique
LDPR	Parti libéral démocrate de Russie
KPRF	Parti communiste de la Fédération de Russie
OCS	Organisation de coopération de Shanghai
OSCE	Organisation pour la sécurité et la coopération en Europe
CSCE	Conférence sur la sécurité et la coopération en Europe
MGIMO	Institut d'État des relations internationales de Moscou
OTSC	l'Organisation du traité de sécurité collective
Eurasec	Communauté économique eurasiatique
ONG	Organisation non gouvernemental
CDP	Congrès des députés du peuple
OCI	Organisation de la coopération islamique

Préface

Le titre de cet ouvrage est un parti pris en lui-même, puisqu'il considère comme une réalité politique et économique le redressement de la Russie. Il part également du principe que la Russie est la puissance continuatrice de l'Union soviétique, ce qui peut être discuté puisque le peuple russe est celui qui a majoritairement souffert du régime communiste. Cependant, dans la mesure où l'ensemble des grandes puissances reconnaissent, en 1991, la Russie comme héritière de l'Union soviétique, notamment dans la gestion des armements nucléaires, et dans la mesure où la Russie a accepté cette responsabilité et où notre ouvrage ne prétend aborder que l'histoire postsoviétique, nous nous en tiendrons à cette position.

Ce volume ne prétend pas à l'exhaustivité, mais il ambitionne d'aborder les événements essentiels de ces vingt dernières années qui ont transformé la Russie, issue du cataclysme communiste, appauvrie et vulnérable, en un acteur clé du monde multipolaire tel qu'il se dessine aujourd'hui et pour les années à venir.

Il s'agit donc d'étudier tout d'abord une chute puis un redressement, sachant que les années terribles qui suivent cette chute portent déjà, en elles-mêmes, de nombreux aspects positifs, notamment constitutionnels, qui deviendront décisifs au début des années 2000, où le redressement global du pays devient un fait incontestable.

À chaque date, les mêmes rubriques seront développées – intérêt ; contexte ; document ; commentaire – pour garantir l'équilibre des chapitres auxquels seront jointes des propositions de plans volontairement plus descriptifs que de recherche. Certaines dates seront volontairement répétées pour servir de relais et aider à la mémorisation des séquences historiques. La documentation – succincte – proposée est essentiellement composée d'extraits de textes de base : déclarations, traités, discours, graphiques etc., permettant un retour aux sources premières sans les ambiguïtés de l'interprétation.

Le commentaire, lui, est de la seule responsabilité de l'auteur qui pense devoir donner un éclairage particulier sur tel ou tel point, peut-être négligé habituellement dans la présentation des étapes de la reconstruction de l'État russe.

Ainsi, ce manuel est essentiellement un outil qui laisse au lecteur toute liberté dans la façon de l'utiliser pour augmenter ses connaissances et se forger une opinion sur l'épopée la plus dense et la plus surprenante de l'après-guerre froide.

Introduction

L'Histoire retiendra sans doute que le XXe siècle s'est achevé en 1989, tandis que le rideau de fer s'écroule en Europe, provoquant une onde de choc qui se répercute alors dans l'ensemble du monde communiste. Ce siècle, qui prend naissance en 1914, s'achève ainsi 75 ans plus tard par la défaite politique de son idéologie dominante, le socialo-communisme. Cette chute est suivie par une période de vingt ans, courte du point de vue de l'Histoire, mais particulièrement dense, qui constitue la transition vers le XXIe siècle. Cette courte période voit l'apogée puis le début du déclin de la puissance américaine, le déclassement de l'Europe et la naissance ou la renaissance de nouvelles puissances, comme la Chine, l'Inde ou la Russie. La Russie constitue un cas à part car, contrairement à la plupart des autres pays en voie de développement, elle possède un patrimoine industriel considérable, bien que vieillissant. Contrairement à la Chine, la Russie fait également le choix de libéraliser le pays politiquement puis de le libéraliser économiquement, prenant le risque d'une anarchie globale dont les prémisses s'étaient déjà fait sentir pendant les dernières années de l'Union soviétique.

C'est d'ailleurs bien dans l'anarchie que semble basculer la Russie au début des années 1990. Le gouvernement Eltsine hérite d'une situation économique catastrophique, léguée par l'Union soviétique, tandis que sur la scène internationale, les promesses faites par l'Occident en 1989 et 1990 apparaissent rapidement comme un jeu de dupe. La Russie fait le choix de la libéralisation à outrance et livre ainsi la majeure partie de son économie à un groupe d'aventuriers qui semblent à la fin des années 1990 détenir la réalité du pouvoir en Russie. Dans le même temps, les tentations centrifuges, voire ouvertement séparatistes, prennent de plus en plus de force dans les régions, face au pouvoir central défaillant. La cohérence de l'État russe tel qu'il est redessiné en 1991 semble de plus en plus gravement mise en danger jusqu'au paroxysme de 1998, tandis qu'une crise financière particulièrement violente frappe la jeune Fédération de Russie déjà fortement ébranlée par la crise économique et sociale de la décennie écoulée. Pourtant, en l'espace de quelques années, après l'accession au pouvoir de Vladimir Poutine, la Russie retrouve, dans un premier temps, la stabilité politique, puis, au bénéfice de celle-ci, la prospérité économique. Elle retrouve de surcroît une place décisive sur la scène internationale où sa volonté de remettre les Nations unies au centre du processus de résolution des conflits et son respect scrupuleux du droit international en fait un pôle de stabilité au côté de la Chine, tandis que l'Occident entreprend ses dernières guerres impériales.

La chute du mur de Berlin

INTÉRÊT

C'est à cette date que s'achève le XXe siècle. C'est également à cette date que débute une transition historique qui, durant 20 ans, voit le passage progressif d'un monde bipolaire vers un monde multipolaire. Paradoxalement, la fin de l'hégémonie soviétique sonne également celle de l'hégémonie américaine, qui est destinée à perdre sa légitimité avec la disparition de la menace communiste. Tandis que la Russie rentre dans une période de grande instabilité et de troubles, les États-Unis s'efforcent désormais de justifier l'existence du bloc occidental en entretenant une série de conflits dont l'un en plein cœur de l'Europe.

La chute du mur de Berlin est l'aboutissement de la désagrégation du système impérial soviétique, que l'URSS n'a plus les moyens économiques, ni la volonté de maintenir contre la pression des peuples européens.

La fin du rideau de fer marque le début du repli de la Russie de son étranger proche, mais aussi sanctionne la perte de son influence lointaine, car la dislocation du bloc communiste aura des répercussions jusqu'en Amérique latine. L'année 1989 constitue donc une accélération foudroyante de l'Histoire ; en quelques mois, l'Eurocommunisme s'effondre sous les poussées des peuples d'Europe de l'Est.

CONTEXTE

En 1989, le bloc communiste est très largement fragilisé par des facteurs à la fois internes et externes qui, après être venus à bout de ce bloc, mettront fin deux ans plus tard à l'Union soviétique. Les facteurs de décomposition sont économiques, politiques et moraux. Économiquement, la période qui suit le début de la perestroïka, en février 1986, est synonyme de chute du cours des matières premières, ce qui prive l'URSS, de ce palliatif nécessaire pour compenser la gabegie de son économie dirigée. Les pays d'Europe de l'Est se trouvent dans un État encore plus grave sans que Moscou puisse faire quoique ce soit. Politiquement et moralement, l'Union soviétique a perdu la légitimité qui fut la sienne après la deuxième guerre mondiale et les guerres de décolonisation. Bien que les soulèvements ou les révoltes aient été jusque-là réprimés, notamment en Hongrie et en Tchécoslovaquie, ces démonstrations de force ont nui à l'image de libérateur des peuples que le régime communiste veut donner. À cela s'ajoute en décembre 1979, l'intervention en Afghanistan, qui s'avère rapidement un piège duquel les dirigeants soviétiques ne peuvent sortir, pris dans une grande instabilité politique, due à la succession rapide des secrétaires généraux du parti communiste. De 1982 à 1985, se succèdent a la tête du parti, Brejnev, Andropov, Tchernenko et enfin Mikhaïl Gorbatchev. Ce dernier lance immédiatement une série de réformes, connue sous le nom de perestroïka, et à partir de 1988, il met en exergue la nécessité de la transparence dans la conduite des affaires politiques en popularisant le terme de « Glasnost ». Ces idées sont accueillies avec enthousiasme en Occident et dans les pays d'Europe de l'Est. Leur diffusion prend des proportions rapidement incontrôlables, notamment pour les dirigeants communistes locaux. Dès 1988, il apparaît que l'URSS ne fera plus la guerre pour préserver le rideau de fer. En février de cette même année, Mikhaïl Gorbatchev décide de retirer les forces soviétiques d'Afghanistan. À New York, en décembre, lors de la rencontre Bush/Reagan/Gorbatchev, les trois hommes admettent que la guerre froide doit prendre fin.

Évolution du prix du baril de pétrole à New York de 1980 à 2010 (moyenne annuelle)

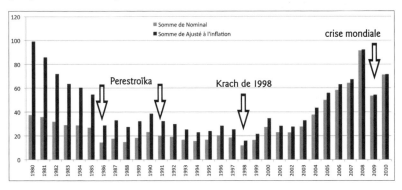

Déclaration du chancelier Helmut Kohl au sujet de la politique de l'Allemagne lors des débats budgétaires (Bonn-Bundestag, 28 novembre 1989)

 [...] Des chances s'offrent à nous pour éradiquer la partition de l'Europe et, par voie de conséquence, de notre patrie, les Allemands qui se retrouvent maintenant dans un esprit de liberté ne constitueront jamais une menace, mais, au contraire, un gain d'autant plus grand pour une Europe en passe de resserrer ses liens. Les événements révolutionnaires auxquels nous assistons aujourd'hui doivent surtout être portés à l'actif des hommes qui ont manifesté de façon si impressionnante avec leur volonté de liberté. Mais ils sont aussi le résultat des nombreuses évolutions politiques au cours des dernières années. Et, avec notre politique, nous y avons contribué à un point déterminant [...].

D'un autre côté, un préalable déterminant a été la politique de réforme du secrétaire général Mikhaïl Gorbatchev en Union soviétique et la nouvelle pensée dans la politique étrangère soviétique. Sans la reconnaissance du droit des peuples et des États, à une voie qui leur est propre, les mouvements de réforme dans les autres États du Pacte de Varsovie n'auraient pas été couronnés de succès. Les événements dramatiques survenus en RDA n'auraient pas été possibles si la Pologne et la Hongrie n'avaient pas donné l'exemple avec des réformes profondes dans la politique, l'économie et la société. Je me félicite que des changements s'esquissent, maintenant aussi, en Bulgarie et en Tchécoslovaquie. Je suis particulièrement heureux que le lauréat de cette année du Prix de la paix des libraires allemands, Vaclav Havel, puisse enfin récolter les fruits des longues années durant lesquelles il a œuvré et souffert pour la liberté. [...] Enfin, un rôle éminent a également été joué par le processus de la CSCE dans lequel, conjointement avec nos partenaires, nous avons exigé la résorption des causes de tensions, le dialogue et la coopération et, tout particulièrement aussi, le respect des Droits de l'homme. [...]

Aujourd'hui, cela est visible pour tout un chacun, nous sommes à la veille d'un nouveau chapitre de l'histoire européenne et de l'histoire allemande - un chapitre qui montre la voie à suivre au-delà du statu quo, au-delà des structures politiques existant jusqu'ici en Europe [...].

L'évolution des relations interallemandes reste ancrée dans le processus paneuropéen et dans les relations Est/Ouest. L'architecture future de l'Allemagne doit s'intégrer dans l'Architecture future de toute l'Europe [...]. – le respect illimité des principes et des normes du droit international, en particulier le respect du droit à l'autodétermination des peuples [...].

La communauté européenne doit rester ouverte à une RDA démocratique et aux autres États démocratiques d'Europe centrale et du Sud-Est. La CE ne doit pas s'achever à l'Elbe, mais elle doit aussi préserver son ouverture vers l'Est.

COMMENTAIRE

Ce texte du chancelier allemand, Helmut Kohl, artisan principal de la réunification, est un résumé des événements des derniers mois, qui précèdent la chute du mur de Berlin et une présentation des perspectives qui se présentent à une Allemagne en passe de devenir la superpuissance européenne. Ces événements trouvent leur origine dans la politique d'ouverture de Mikhaïl Gorbatchev et dans la volonté des peuples d'Europe de l'Est de se libérer du communisme. La chute du mur de Berlin intervient en effet dans un contexte global de libéralisation des régimes du bloc communiste.

Les deux premiers pays à avoir secoué ce joug sont la Pologne et la Hongrie. Les Hongrois ont ouvert la première brèche au travers du rideau de fer, sur la route entre Vienne et Budapest, près du village d'Hegyeshalom. C'est par ce passage que commencent à s'engouffrer à partir du 2 mai 1989, les premiers Allemands de l'Est candidats à la liberté, avec l'aide des douaniers hongrois, ce qui vaudra ces mots d'Helmut Kohl reconnaissant envers les Hongrois : « Le sol sur lequel repose la porte de Brandebourg est hongrois ».

L'initiation de ce pays au capitalisme s'est faite doucement au début des années 1980, par l'ouverture de ses frontières aux vacanciers autrichiens et allemands. Dans le but de satisfaire cette demande, la création de petites entreprises privées est autorisée. En même temps, la Hongrie est au bord du gouffre. Sa dette cumulée atteint le montant colossal de 20 milliards de dollars, en faisant le pays d'Europe de l'Est le plus endetté par habitant avec, en outre, une inflation galopante à 17 % et une baisse importante de la production industrielle.

Dans cette atmosphère de timide ouverture, c'est finalement de l'intérieur du parti communiste hongrois que vient le signal de la liberté. En mars 1989, Miklos Memeth, le Premier ministre hongrois, se rend à Moscou. Il fait part à Mikhaïl Gorbatchev de son souhait de mettre en place des élections libres sans en fixer la date. L'URSS maintient 80 000 soldats en Hongrie, et rien ne peut avoir lieu sans que le pouvoir soviétique l'accepte. Tout en déclarant son opposition au multipartisme, Gorbatchev laisse la Hongrie libre de choisir son destin. Helmut Kohl est prêt à soutenir l'économie hongroise si le passage est ouvert aux Allemands de l'Est. De mai à septembre 1989, le processus pacifique de réformes aboutit à l'ouverture totale des frontières à l'ouest, symbolisée par le démantèlement complet de la frontière électrifiée. Le 3 juillet 1989, les révoltés de 1956 sont réhabilités. Pour les Allemands de l'Est, c'est le signal de la ruée vers l'Ouest, car la RDA, ne bénéficiant pas du tourisme, est dans un État de délabrement pire que celui de la Hongrie. Erich Honecker, le dirigeant communiste est-allemand, proteste à Moscou contre cette décision et y envoie son ministre des Affaires étrangères, sans résultats.

Dans le même temps, la Pologne communiste du général Jaruzelski fait face à une succession de grèves menées par le héros populaire de la lutte anticommuniste, Lech Walesa. Le gouvernement communiste se déclare d'accord pour une transition vers le multipartisme. En juin 1989, les communistes sont écrasés lors des élections. Solidarnosc reçoit 99 % des sièges des députés et Lech Walesa devient le premier Premier ministre anticommuniste d'Europe de l'Est. E. Honecker et le chef d'État roumain, Nicolae Ceausescu, continuent de s'opposer farouchement à cette ouverture et tentent de s'organiser avec Yakès, le dirigeant tchécoslovaque. Ils tentent de faire pression sur Gorbatchev pour obtenir une intervention soviétique contre la Pologne et la Hongrie. En juillet 1989, tandis que Mikhaïl Gorbatchev déclare que l'Armée rouge n'interviendra pas en RDA, George Bush se rend en Pologne et en Hongrie pour soutenir le processus de libération. Le secrétaire d'État américain, James Baker, confirme à son ami et homologue soviétique, Edouard Chevardnadze, à Jackson Hole en septembre 1989, que l'Amérique ne compte pas tirer profit des difficultés soviétiques. Les États-Unis décident alors d'accorder leur soutien total à Mikhaïl Gorbatchev.

Ce même mois de septembre 1989, les Allemands de l'Est font le siège de l'ambassade de la RFA à Budapest pour émigrer. Pour Honecker, ce sont des « parias ». Désormais la RDA interdit le passage en Hongrie pour ses ressortissants. Les Allemands se tournent cette fois vers la Tchécoslovaquie, à Prague, devant l'ambassade de RFA. L'ambassade est littéralement prise d'assaut. Elle devient un camp de réfugiés. Hans

Dietrich Genscher, le ministre allemand des Affaires étrangères, se rend à Prague pour négocier. Honecker, sous la pression de Moscou, accepte de laisser partir les réfugiés.

Dans le reste de la RDA, l'opposition manifeste. En septembre, les manifestations à Leipzig sont sévèrement réprimées, mais sans résultat. Le slogan est « *Wir bleiben hier !* ». Nous restons ici. Il ne s'agit désormais plus de fuir la RDA mais de chasser le régime communiste. En octobre, Honecker reçoit Gorbatchev pour les 40 ans de la RDA. Ce dernier est célébré par la foule allemande. Berlin devient le théâtre de manifestations interminables. C'est finalement le Politburo est-allemand, qui met à pied Honecker le 17 octobre 1989. Il est remplacé par Egon Krenz. Le 1er novembre, ce dernier rencontre Mikhaïl Gorbatchev à Moscou. Le 9 novembre, la libre circulation est décrétée par le Politburo. Le mur tombe sous les coups des Allemands des deux côtés de la frontière.

PROPOSITION DE PLAN

L'effondrement du bloc communiste

INTRODUCTION

I. L'ÉROSION PROGRESSIVE DU MONDE COMMUNISTE

A. Perte de légitimité morale
  1. La fin de la décolonisation
  2. Le choc afghan

B. Les soubresauts au sein du monde communiste
  1. Les démocraties populaires en crise
  2. La faillite économique du communisme

C. L'activisme américain et allemand
  1. L'ère Reagan et le « roll back »
  2. Permanence de la géopolitique allemande

II. LA CRISE ALLEMANDE

A. Ces jours qui ont fait basculer l'Allemagne
  1. « La brèche hongroise »
  2. L'isolement d'Erich Honnecker

B. Le traité de Moscou
  1. L'alliance germano-américaine
  2. La diplomatie de Chevardnadze

C. Première étape de la désagrégation du bloc communisme
  1. L'impact moral de la chute du mur de Berlin
  2. La résignation des Soviétiques

III. L'EFFONDREMENT DU BLOC COMMUNISTE

A. Le printemps des peuples européens
  1. La transition pacifique
  2. De l'anticommunisme à « l'anti-russisme »

B. Les germes de la guerre
  1. La politique balkanique allemande
  2. L'avenir de l'OTAN

C. Le monde unipolaire
  1. L'effondrement mondial du communisme
  2. Le nouvel ordre mondial

CONCLUSION

Dissolution de l'Union soviétique

INTÉRÊT

La dissolution de l'Union soviétique est la seconde et dernière étape qui achève la désagrégation du communisme en tant que puissance politique. Du point de vue russe, cette date met fin au processus révolutionnaire inauguré en 1917, qui aura coûté à la Russie cinquante millions de morts, ainsi qu'une régression économique et démographique sans précédent dans son histoire. La Russie sortie du cataclysme est amputée de ses territoires en Asie centrale et en Transcaucasie, mais conserve le bénéfice du redécoupage de ses frontières occidentales vers l'Ouest de 1945. Elle garde également l'intégralité de ses frontières en Extrême-Orient. Le paradoxe de cette dissolution est qu'elle est avant tout une volonté russe de mettre fin à l'URSS, tandis que la majorité des peuples d'URSS, Baltes mis à part, sont favorables au maintien de l'Union. La forme qui doit être donnée à cette Union est d'ailleurs le premier enjeu politico-stratégique qui s'impose à Boris Eltsine et aux nouveaux dirigeants issus de l'éclatement soviétique.

Depuis le début des années 1980 et l'arrivée de Ronald Reagan à la tête des États-Unis, l'URSS a subi une pression constante de la part de l'administration américaine, tant du point de vue économique par la relance de la course aux armements, sous la forme de l'Initiative de Défense Stratégique (IDS), que du point de vue militaire par le soutien apporté aux combattants afghans, dans le cadre du conflit dans lequel l'Union soviétique s'enlisera pendant dix ans. Sortir de la guerre froide devient une nécessité absolue pour l'économie soviétique exsangue, à condition toutefois d'obtenir les garanties nécessaires à sa propre sécurité. L'administration américaine joue parfaitement cette partition. Tantôt, elle s'efforce de faire sentir à l'URSS sa supériorité technologique supposée, tantôt elle proclame que ses buts sont avant tout pacifiques et qu'elle est prête à un transfert de technologie.

DOCUMENT 1

Extraits du discours du président Ronald Reagan sur l'« Initiative de Défense Stratégique » (23 mars 1983)

 [...] Depuis l'aube de l'ère atomique, nous avons cherché à réduire le risque de guerre en maintenant une forte dissuasion et en cherchant une véritable maîtrise des armements. La dissuasion signifie simplement ceci : s'assurer que tout adversaire qui pense à attaquer les États-Unis ou nos alliés ou nos intérêts vitaux, conclut que les risques qu'il encourt, l'emportent sur les gains potentiels. Lorsqu'il a compris cela, il n'attaque pas. Nous maintenons la paix grâce à notre force, faiblesse constituant seulement une invitation à l'agression [...].

Depuis vingt ans, l'Union soviétique a accumulé une énorme puissance militaire [...] Au cours de ces quinze dernières années, les Soviétiques ont construit un gigantesque arsenal de nouvelles armes nucléaires stratégiques - des armes qui peuvent frapper directement les États-Unis [...].

L'Union soviétique construit plus de deux cents nouveaux bombardiers « Blackfire », et son tout nouveau bombardier « Blackjack » est maintenant en cours de développement. Nous n'avons pas construit un nouveau bombardier longue distance depuis que nos B-52 ont été déployés près d'un quart de siècle auparavant [...].

Il fut un temps où nous étions en mesure de compenser la supériorité numérique soviétique grâce à une qualité supérieure. Mais aujourd'hui, ils fabriquent des armes aussi modernes et sophistiquées que les nôtres [...].

Nous n'avons pas construit un nouveau bombardier longue portée pendant vingt et un ans. Maintenant, nous construisons le B-1. Nous n'avions pas lancé de nouveau sous-marin stratégique pendant dix-sept ans. Maintenant, nous construisons le sous-marin « Trident » depuis un an [...].

Dans le même temps, nous travaillons sur les négociations START et de réduction des armes de portée intermédiaire, dans le but de réaliser de profondes réductions des arsenaux nucléaires stratégiques et à portée intermédiaires des deux côtés.

Nous avons également commencé la modernisation nécessaire depuis longtemps de nos forces conventionnelles [...].

Si l'Union soviétique se joint à nous dans notre effort pour parvenir à une importante réduction des armements, nous aurons réussi à stabiliser l'équilibre nucléaire. Néanmoins, il sera toujours nécessaire de s'appuyer sur la menace de représailles - sur la menace mutuelle, et c'est un triste constat sur la condition humaine [...].

Permettez-moi de partager avec vous une vision de l'avenir qui donne de l'espoir. Nous nous lançons dans un programme génial pour contrer la menace des missiles soviétiques, fondé uniquement sur des mesures défensives. Tournons-nous vers les points forts en matière de technologies, générés grâce à notre grande base industrielle et qui nous ont donné la qualité de vie dont nous jouissons aujourd'hui.

Puissent les peuples vivre sans la certitude que leur sécurité repose sur la menace de représailles des États-Unis pour dissuader une attaque soviétique, et que nous puissions intercepter et détruire les missiles balistiques stratégiques avant qu'ils aient atteint notre propre sol ou celui de nos alliés.

Je sais que c'est une tâche technique formidable, qui ne peut être accomplie avant la fin de ce siècle. Pourtant, la technologie actuelle a atteint un niveau de sophistication où il devient raisonnable pour nous de commencer cet effort. Il faudra des années, probablement des décennies, des efforts sur plusieurs fronts. Il y aura des échecs et des revers comme il y aura des succès et des percées. Et tandis que nous procéderons, nous devrons rester constants dans la préservation de la dissuasion nucléaire et le maintien d'une solide capacité de riposte graduée. Libérer le monde de la menace d'une guerre nucléaire, ne vaut-il pas tous les investissements nécessaires pour y parvenir ?

COMMENTAIRE

L'arrivée de Ronald Reagan à la présidence des États-Unis marque un tournant et un durcissement de la guerre froide. Le nouveau président souhaite venir à bout du communisme et lance une double offensive à la fois morale et économique. En effet la légitimité morale que l'URSS a acquise par sa contribution majeure à la défaite de l'Allemagne nazie et par son soutien actif aux guerres de décolonisation, s'épuise peu à peu au début des années 1980. La politique de répression dans les démocraties populaires et la guerre en Afghanistan sonnent le glas du rayonnement moral de l'URSS. La présence soviétique à Kaboul est impopulaire, y compris en URSS. C'est avant tout du point de vue de la morale que Ronald Reagan se situe. Il juge l'arme nucléaire et la destruction mutuelle assurée immorale et souhaite par conséquent un système qui protège non seulement les États-Unis et ses alliés, mais également les pays du Pacte de Varsovie, puisqu'il propose un transfert de technologie progressif aux Soviétiques pour qu'ils se dotent d'un système équivalent.

Lorsque Ronald Reagan fait son célèbre discours sur l'IDS, le dirigeant soviétique Youri Andropov dirige l'URSS d'une main de fer. Il considère l'IDS comme un piège, mais d'ores et déjà, les Soviétiques ont des doutes sur leurs capacités à suivre cette course aux armements d'un nouveau genre. Même si l'industrie de défense soviétique reste performante, certaines révolutions n'ont pas eu lieu, notamment dans le domaine de l'informatique. Quant aux produits de consommation, la pénurie est générale.

Ronald Reagan expose un système de haute technologie, fondé sur l'informatique, les satellites et les lasers. Ce système ne vise plus à anéantir l'adversaire mais à protéger les populations civiles. Cette position, tout en déséquilibrant les deux blocs, confère à la partie occidentale la légitimité morale qui lui a souvent fait défaut depuis 1945.

Pour les Soviétiques, c'est une nouvelle course aux armements qui va coûter très cher. Ronald Reagan accueille favorablement l'arrivée de Mikhaïl Gorbatchev au pouvoir et renouvelle sa proposition de collaboration. Les deux chefs d'État se rencontrent en novembre 1985. Le secrétaire général du PCUS souhaite l'abandon pur et simple du projet et décline avec un scepticisme affiché la proposition de transfert de technologie du président américain. La course aux armements continue donc pour l'URSS qui aurait pourtant besoin d'allouer les énormes ressources qu'elle consacre au complexe militaro-industriel à la production de biens de consommation.

À la course aux armements et à la guerre d'Afghanistan s'ajoute, en avril 1986, la catastrophe nucléaire de Tchernobyl, pour achever de ruiner l'économie soviétique. Conscient de cet état, Mikhaïl Gorbatchev propose en octobre 1986, l'option « double zéro » à Ronald Reagan, initiant ainsi un processus bilatéral de réduction des armements nucléaires. Ces négociations aboutissent le 8 décembre 1987 à la signature du traité de limitation sur les armes nucléaires à portée intermédiaire. Pourtant Ronald Reagan ne renonce pas à l'IDS, malgré le scepticisme qu'elle suscite tant aux États-Unis qu'en URSS.

CONTEXTE

À la fin des années 1980, tandis que la chute du bloc communiste est quasi consommée et que l'URSS a résolu de ne pas intervenir, les États-Unis adoptent un discours encore plus conciliant. Ce discours vise à légitimer Mikhaïl Gorbatchev, largement critiqué dans son pays, à gauche par les communistes conservateurs, à droite par ceux qui, derrière Boris Eltsine, veulent en finir avec le communisme. La chute du mur de Berlin est sans doute le dernier acte politique maîtrisé par Mikhaïl Gorbatchev qui perd de plus en plus pied dans son propre pays. Les réformes qu'il a lancées depuis son arrivée au pouvoir, ne donnent pas les résultats escomptés. Elles sont, au contraire, sources de nouvelles nuisances. L'autorisation des petites entreprises privées, accordée après les réformes de 1986, entraîne la multiplication des trafics et la prolifération d'une économie qui échappe complètement à l'État. Cela favorise par conséquent le développement des mafias, phénomène qui prendra toute son ampleur au début des années 1990.

Dans le même temps, l'Union soviétique est secouée par des mouvements sécessionnistes dans les pays Baltes et des affrontements ethniques dans le Caucase, principalement entre Arméniens et Azéris dans le haut Karabakh et entre les Géorgiens, les Ossètes et les Abkhazes. L'URSS se trouve ainsi dans un contexte politique, économique et militaire extrêmement défavorable. Malgré sa popularité en Occident, Mikhaïl Gorbatchev est extrêmement critiqué dans son propre pays. C'est dans ce contexte d'anarchie généralisée que l'Occident s'efforce de rassurer les dirigeants soviétiques sur ses intentions pacifiques.

DOCUMENT 2

Discours du secrétaire général de l'OTAN, Manfred Wörner, à Moscou, le 16 juillet 1990, devant les membres du Soviet suprême de l'URSS

 [...] Je suis venu à Moscou avec un message très simple : nous vous offrons notre amitié. J'ai aussi une proposition très directe à vous faire : coopérer. L'époque de la confrontation est révolue. Oublions l'hostilité et la méfiance du passé. Nous voyons dans votre pays, et dans tous les autres États membres de l'Organisation du Traité de Varsovie, non plus des adversaires, mais bien des partenaires, engagés avec nous dans une entreprise commune : la construction de ce que vous appelez la maison commune européenne, bâtie sur les principes de la démocratie, des libertés fondamentales et de la coopération.

Nous pouvons laisser derrière nous la confrontation et avancer sur la voie d'une Europe entière et libre ; il s'agit pour cela :

- de construire de nouvelles structures, une nouvelle architecture qui englobe chacun d'entre nous ;
- de négocier sur la maîtrise des armements, pour réduire au maximum nos arsenaux et pour renforcer la stabilité et la confiance mutuelle ;
- de coopérer dans tous les domaines : politique, économie, sciences, culture.

Nous devons tirer les conséquences des mutations que nous observons. Comme par le passé, notre Alliance continuera à le faire. Au Sommet de Londres, dix jours plus tôt, nous avons décidé de faire subir à celle-ci le remaniement le plus radical qu'elle ait connu depuis sa naissance, il y a quarante et un ans de cela. Nous ne voyons aucun intérêt dans un système nourri par la confrontation. L'OTAN sera désormais le pilier d'un ordre de coopération européen nouveau et pacifique, à l'intérieur duquel la puissance militaire occupera une place moins importante dans les relations internationales : elle perdra sa prééminence, ne menacera personne et assumera une fonction de protection et de prévention des conflits.

[...] le Sommet de Londres a indiqué comment on pourrait, selon nous, exploiter le processus de la CSCE pour parvenir à un resserrement des liens à l'échelle de l'Europe entière dans le cadre de structures de coopération nouvelles ou élargies. Pour porter ses fruits, la CSCE doit permettre par-dessus tout de protéger la démocratie et la liberté dans l'ensemble de l'Europe, et s'attaquer aux problèmes que pose le passage à des économies de marché efficaces. Ainsi, l'OTAN a proposé une série d'initiatives de nature à renforcer les actuels principes d'Helsinki et à établir de nouvelles formes de coopération ; ces initiatives concernent notamment le droit à des élections libres et loyales, l'engagement de maintenir la primauté du droit, et les directives relatives à la coopération dans les domaines de l'économie et de l'environnement. [...]

COMMENTAIRE

Dans ce document se trouvent les deux engagements de l'OTAN envers l'URSS en 1990.

Le premier engagement est de faire évoluer l'OTAN, d'une alliance à caractère militaire vers une alliance qui constituerait le socle d'une nouvelle architecture de défense pour l'Europe, dont l'URSS, puis la Russie feront partie. Le thème de la mise en place d'une nouvelle architecture de défense pour l'Europe sera repris régulièrement par la Russie durant les deux décennies qui suivent la chute de l'URSS.

Le deuxième engagement auquel les Russes sont favorables, est le développement de la CSCE comme institution de référence dans cette nouvelle construction. Les règles qui ont été fixées par la CSCE après l'acte final d'Helsinki en 1975, sont en effet autant de garanties pour les dirigeants soviétiques puis russes qui sont tout à fait conscients de rentrer dans une grande période d'instabilité. La CSCE garantit notamment le respect de la souveraineté des États, le non-recours à la force pour résoudre les conflits, la non-ingérence dans les affaires intérieures des États, l'inviolabilité des frontières et, enfin, l'« exécution de bonne foi des obligations assumées conformément au droit international public ». En 1990, l'Allemagne réunifiée en pleine ascension et les États-Unis victorieux n'ont aucune intention de respecter des règles qui les empêcheraient de tirer les dividendes de leur victoire.

Les engagements de Manfred Wörner, renouvelés à plusieurs reprises par les États-Unis, ne seront jamais tenus. L'administration Clinton qui arrive au pouvoir en 1992 se lance même dans une politique de refoulement systématique de l'influence russe, non seulement au sein de l'ancien monde communiste et du pacte de Varsovie, mais en tournant une partie des anciennes républiques soviétiques contre la nouvelle Fédération, par un processus rapide d'intégration à l'OTAN.

Le processus de dissolution de l'Union soviétique.

L'effondrement du bloc communiste en 1989, n'a pas résolu les problèmes inhérents à l'Union soviétique : la ruine de son économie, accélérée par la baisse mondiale du prix des hydrocarbures, ainsi que la perte de légitimité du Régime pour les élites et le peuple russe. La Glasnost s'essouffle, les magasins sont toujours vides, les files d'attente continuent pour n'obtenir le plus souvent que des produits périmés. L'anarchie qui naît des réformes manquées de Mikhaïl Gorbatchev et l'indécision de ce dernier provoquent son isolement à la fois des durs du PCUS et des ultra-réformateurs. Ceux-là, regroupés derrière Boris Eltsine, veulent en finir définitivement avec le Parti communiste.

En 1989, il apparaît clairement que la libéralisation du régime entreprise par Mikhaïl Gorbatchev aura comme limite la conservation du pouvoir par le parti communiste. Des élections « législatives » visant à choisir les membres du « congrès des députés du peuple » ont lieu le 26 mars 1989. Ce sont les premières vraies élections en Russie depuis la constituante de 1917. Mikhaïl Gorbatchev, qui en est l'initiateur, tient tout de même à garantir le poids du parti communiste, et à cette fin, en biaise le fonctionnement. Sur les 2 250 délégués, 750 ne sont pas choisis par le suffrage universel, mais par les « organisations sociales ». Parallèlement, le PCUS s'assure le contrôle du déroulement des élections. Le résultat, sans surprise, donne les partis de gauche gagnant, ce qui pousse les ultra-réformateurs de Boris Eltsine à se radicaliser et à se rattraper sur les élections locales de février-mars 1990, particulièrement au sein de la république socialiste soviétique de Russie.

Tout au long de l'année 1990, se déroule un affrontement implacable entre les compétences des gouvernements russe et soviétique. Après une lutte acharnée au sein du Congrès des députés du peuple, Boris Eltsine, en tant que candidat du bloc « Russie démocratique », est élu président du Soviet suprême de Russie. Le 12 juin 1990, il fait proclamer la « Déclaration sur la souveraineté de l'État de Russie », établissant la primauté des lois russes sur les lois soviétiques. Il entame ainsi une « guerre des lois » de 14 mois contre le régime soviétique. L'anarchie qui règne au sommet de l'État est interprétée dans les Pays Baltes comme le signal de la rébellion. En janvier 1991, les Lituaniens se soulèvent à Vilnius et s'emparent des bâtiments publics. Les 11 et 12 janvier, l'armée soviétique rentre à Vilnius et rétablit l'autorité de l'État Soviétique au prix de 14 morts et de centaines de blessés. La répression provoque des manifestations à Moscou.

En mars 1991, Mikhaïl Gorbatchev organise un référendum sur le maintien de l'Union, qui confirme la volonté des peuples d'URSS de rester au sein de l'Union soviétique. Gorbatchev espère renforcer l'autorité du Régime par cette consultation. Pour contrer cette tentative, Boris Eltsine décide à son tour d'un référendum sur l'élection au suffrage universel du président de la Russie. Il se fait ainsi élire à ce poste, le 12 juin 1991, avec son vice-président, Alexandre Routskoi, avec 57 % des voix. C'est le jumelage de cette élection avec le référendum qui constitue un coup de maître de Boris Eltsine, car il en amplifie considérablement la portée. Il reproduira le même processus en 1993, au moment de la crise constitutionnelle, en renforçant son pouvoir par un référendum sur sa nouvelle Constitution.

En juillet 1991, Gorbatchev se rend à Londres. L'économie soviétique a besoin d'une aide financière urgente, qui lui est refusée. Le dirigeant soviétique est de plus en plus isolé, malgré la victoire de son projet de « traité d'union » au référendum de mars 1991. C'est la perspective de l'exécution de ce traité qui provoque le putsch au mois d'août de la même année. Les conservateurs du PCUS y voient la fin de l'URSS et même de la République Socialiste Fédérative Soviétique de Russie. Pour empêcher la signature du nouveau « traité d'union », une délégation de six hauts dignitaires du parti communiste se rend à la datcha de Mikhaïl Gorbatchev en Crimée où ce dernier est en vacances. Ils tentent de le convaincre de renoncer à l'application du traité, et devant son refus l'assignent à résidence. Les « putschistes » rentrent à Moscou et créent le GKTchP, Comité d'État pour l'état d'urgence. Guennadi Ianaïev, le Vice-Président prend la direction du pays, tandis que l'État d'urgence est décrété. Dimitri Iazov, le ministre de la Défense, fait rentrer deux divisions blindées à l'intérieur de Moscou. La présence des chars et l'indécision du GKTchP annoncent la fin proche de la tentative de prise du pouvoir. Les « putschistes » prennent d'ailleurs contact avec Boris Eltsine dès le 19 août pour trouver une solution. L'entourage de ce dernier le pousse à tenir tête au GKTchP. Il se rend alors à la « maison blanche » où se tient le Parlement et s'oppose ouvertement au comité d'urgence le 20 août. Le

21 août 1991, après une nuit de manifestations où sont morts trois jeunes Russes, les « putschistes » reconnaissent leur défaite et sont arrêtés sur ordre de Boris Eltsine, le nouvel homme fort.

Pour Boris Eltsine, l'heure est venue de mettre fin au régime communiste. Le 22 août, il prend la décision symbolique de rétablir le drapeau de la Russie impériale. Le 23 août, il humilie Gorbatchev publiquement, puis il met fin aux activités du PCUS. Le mouvement qu'il a lancé semble alors lui échapper. Du 23 au 25 août, les 15 Parlements des Républiques soviétiques votent en faveur de l'indépendance. Eltsine tente désormais de préserver un minimum d'union entre les Républiques. Le 7 décembre 1991, il se rend à Minsk, où il rencontre Stanislas Chouchkevitch, le président biélorusse. Leonid Kravtchouk, son homologue ukrainien, farouche partisan d'une indépendance totale de sa République, les rejoint à Belaveja. Le 8 décembre, Eltsine obtient une déclaration commune où la CEI est créée. Eltsine y abandonne en contrepartie la Crimée à l'Ukraine, province russe donnée par Nikita Khrouchtchev en 1954. Il s'agit aussi d'éviter une guerre comme celle qui embrase la Yougoslavie depuis six mois. L'URSS n'existe plus et c'est à la Russie que revient la responsabilité de l'arsenal nucléaire. George Bush, puis Mikhaïl Gorbatchev sont prévenus par téléphone. Ce sont ainsi les trois Républiques slaves d'URSS qui ont mis fin à l'Empire.

James Baker, le Secrétaire d'État américain se rend en Russie et rencontre Boris Eltsine la semaine suivant la déclaration. La nouvelle Russie est considérée par les États-Unis, comme l'héritière de l'Union soviétique notamment en tant que seule et unique puissance détentrice des armes nucléaires. La fin de l'URSS et la création de la CEI sont confirmées le 21 décembre 1991 par les 11 présidents des anciennes républiques socialistes soviétiques, réunis à Almaty au Kazakhstan, dans le cadre du sommet pour l'élargissement de la CEI. Le 24 décembre, Mikhaïl Gorbatchev démissionne du poste de président de l'URSS, qui n'existe plus. Le lendemain, il téléphone à George Bush pour l'informer de la fin de ses fonctions.

CONCLUSION

La dissolution de l'URSS en décembre 1991 est l'acte ultime qui sonne la fin de la guerre froide en entérinant la disparition du chef de file du bloc communiste. La situation de la Russie en décembre 1991 est problématique. Le nouveau gouvernement de Boris Eltsine hérite d'une situation économique catastrophique et doit désormais entreprendre des réformes dans la pire des conjonctures. À l'extérieur, la Russie est rapidement mise en difficulté. La dissolution de l'URSS s'est faite dans la précipitation. Le problème important des minorités russes en Ukraine ou en Asie centrale n'a pas été traité. Plus grave, profitant de sa faiblesse, les États-Unis se lancent dans une politique de refoulement de la Russie en Europe, contre toutes les promesses faites à Gorbatchev puis à Eltsine.

LA FIN DE L'UNION SOVIÉTIQUE

INTRODUCTION

I. L'EMPIRE AUX ABOIS

A. La crise du complexe militaro-industriel
   1. Le piège de l'IDS
   2. Les deux guerres : Afghanistan et Tchernobyl

B. L'économie au bord du gouffre
   1. L'échec des réformes économiques
   2. La dépendance excessive vis-à-vis des matières premières

C. Une construction politique non réformable
   1. La poussée libérale interne
   2. L'ambition des élites locales

II. DU PUTSCH DES CONSERVATEURS À LA DISSOLUTION DE L'EMPIRE

A. L'ultime tentative
   1. Le mécontentement des conservateurs
   2. Une tentative vouée à l'échec

B. La révolution
   1. Eltsine, le révolutionnaire
   2. L'écroulement de l'empire en six mois

C. La liquidation
   1. Les accords de Minsk
   2. Une dissolution anarchique

CONCLUSION

8 décembre 1991 : Dissolution de l'Union soviétique

La crise constitutionnelle

INTÉRÊT

La crise Constitutionnelle constitue un phénomène paradoxal dans l'Histoire russe récente. Elle marque l'échec de l'administration Eltsine dans presque tous les domaines, particulièrement en matière économique. Pourtant, la victoire finalement emportée par le premier président russe sur ses opposants confirme la rupture d'avec le communisme et écarte toute possibilité de retour en arrière. Fragilisé au début de la crise, Boris Eltsine en ressort renforcé dans son autorité et sa légitimité. Il se dote en outre d'une Constitution sur mesure, où la prépondérance de l'exécutif se révèle un instrument décisif pour les deux décennies à venir. Qualifiée habituellement et de manière simplificatrice de « putsch », cette crise est avant tout un affrontement entre deux légitimés, celle du Parlement issu de la chute de l'URSS, et celle du président qui cherche à renforcer son pouvoir par une modification radicale de la Constitution.

Dès le début de l'année 1992, l'administration Eltsine a dû faire face à une situation économique catastrophique héritée de l'URSS. Le nouveau président s'est entouré de jeunes réformateurs, principalement Anatoli Tchoubaïs et Egor Gaïdar, ancien de l'équipe de Gorbatchev et désormais Premier ministre, chargé des réformes. Ce dernier, inspiré par l'« École de Chicago » décide d'une suite de réformes brutales et mal encadrées. L'inflation pour l'année 1992 est de 2 600 %, ce qui provoque la ruine immédiate de tous les épargnants russes, d'autant que le Rouble perd la moitié de sa valeur sur l'année. Non seulement les économies de toute une vie ne permettent plus d'acheter les produits de première nécessité, mais les retraites et les salaires ne suivent pas. La libéralisation brutale des prix, les premières privatisations font basculer la Russie dans le chaos et entraînent la population russe vers une extrême pauvreté. Mal entouré du point de vue économique, Eltsine l'est également en matière diplomatique où son ministre des Affaires étrangères, Andreï Kozyrev, joue contre les intérêts russes en Europe, en Ukraine ou en Yougoslavie. Ce dernier inaugure une période de déclin de la Russie sur la scène internationale, qui ne prendra fin qu'en janvier 1996, lorsque Kozyrev sera remplacé par Evguéni Primakov, qui réamorcera alors le lent retour de la Russie comme puissance extérieure.

Conversation avec Egor Gaïdar, 20 novembre 1996 par Harry Kreisler

 [...] Lorsque le communisme s'est effondré, ce fut le début de l'effondrement de tous les mécanismes de la régulation micro-économique. Les soldats n'étaient pas nourris parce que personne ne les approvisionnait. Les grandes villes étaient sans nourriture. [...] Ainsi lorsque nous avons du commencer, nous avons du élaborer un plan avant tout, non sur comment construire une splendide, belle, parfaite et stable économie de marché, mais urgemment, en quelque sorte, sans préparations, sans les nécessaires conditions préliminaires, faire fonctionner les marchés. Il était évident qu'il serait impossible de faire livrer du grain par les fermes d'État sans commande de nourriture. Ainsi en quelque sorte, dans une très courte période temps, nous avons dû réintroduire une monnaie fiable dans l'économie et faire fonctionner les mécanismes du marché. Ce fut l'essence du plan que nous avons élaboré. [...]

Le problème crucial à court terme fut l'approvisionnement des villes. Si vous ne pouvez pas par commandes, alors la seule solution était de créer une monnaie fiable. [...] Pour créer une monnaie fiable nous avons eu à gérer différents problèmes séparés. [...] La première et cruciale condition préliminaire fut, aussi rapidement que possible, de diviser la zone rouble [celle de l'URSS. NDLR] et de créer une banque centrale russe indépendante qui reprendra le contrôle de la création de monnaie dans la zone rouble. Mais vous avez besoin de temps pour le faire, au moins six à huit mois. [...] Ainsi le point crucial est en quelque sorte que vous devez tenir tout au long de ces six à huit mois. Vous n'avez pas de réserves de nourriture pour tenir cette période. Donc attendre une stabilisation des prix est impossible. Libéraliser les prix avec la possibilité de création de monnaie faire courir un énorme risque d'hyperinflation. Ainsi, libéralisons les prix immédiatement, faisons face à ce risque, mais ajoutons-y un très sérieux resserrement de la politique budgétaire en Russie. [...] Ainsi il y a une chance que nous soyons confrontés à une haute inflation mais pas à une hyperinflation catastrophique qui aurait rendu tous vos mécanismes monétaires impossibles. [...]

Vous avez à traiter le fait que 100 % du commerce et de l'économie en général est nationalisé. Ce commerce de détail, durant des décennies, prolongeait la pénurie parce qu'un vendeur dans un magasin soviétique n'était pas simplement un vendeur. Il était un grand patron. Il décidait si peut-être il acceptait de vous donner quelque chose ou pas. Avoir un ami qui était un vendeur était un grand avantage social. [...] C'est pourquoi nous avons immédiatement publié un décret qui permettrait à quiconque de commercer où il voulait sans aucune restriction.

Extrait de *From Central Planning to Markets, Guiding the transformation of the Russian Economy*, Université de Californie de Berkeley, .

COMMENTAIRE

Dans cet entretien, Egor Gaïdar tente de justifier *a posteriori* ses choix économiques qui aboutirent à une catastrophe. Sa description de la situation économique au moment de la disparition de l'URSS est réaliste. Une transition plus lente eut peut-être été possible mais, pour l'équipe au pouvoir, il n'en est pas question. Le principe adopté est que le transfert brutal et rapide, vers une économie de marché créera une rupture qui empêchera tout retour vers le socialisme. À la libéralisation des prix, Egor Gaïdar ajoute trois vagues de privatisations, qui ne bénéficieront pas à la population russe mais aux cadres dirigeants des entreprises qui sauront en récupérer le contrôle, soit en rachetant les parts des employés et ouvriers, soit en vidant les sociétés de leurs actifs. En 1993, le pillage des actifs industriels n'en est qu'à ses débuts et c'est essentiellement l'appauvrissement massif de la population qui explique l'impopularité croissante du gouvernement russe.

Devant cette situation catastrophique, Boris Eltsine décide finalement à remplacer le Premier ministre E. Gaïdar par V. Tchernomyrdine en décembre 1992. Le rappel du réformateur à ce même poste en septembre 1993 est sans doute un des éléments déclencheur de l'affrontement.

C'est en ce mois de septembre 1993, que la crise prend une tournure irrémédiable, mais c'est en mars qu'elle a vraiment commencé. Boris Eltsine organise alors un référendum pour obtenir la légitimité de changer la Constitution et instituer un régime présidentiel. Le Congrès des députés, l'organe législatif échoue dans sa volonté d'empêcher le référendum. Boris Eltsine obtient un vote de confiance le 25 avril 1993. Eltsine joue une fois de plus la volonté populaire contre les institutions, en s'opposant au Parlement et à la Constitution hérités de l'époque soviétique. En opposition permanente avec le CDP, Eltsine finit par le dissoudre le 21 septembre 1993, ce à quoi le Parlement répond par la destitution du président russe. L'essentiel de la crise est géographiquement circonscrit autour de la Maison Blanche, où les parlementaires anti-Eltsine se retranchent et que les forces de l'ordre, fidèles au président, encerclent rapidement avant d'y donner l'assaut.

Les Parlementaires rebelles se sont regroupés derrière le vice-président Alexandre Routskoï, qui avait été au côté d'Eltsine au moment du putsch manqué de 1991. Se joint à lui, Rouslan Khasboulatov, un économiste d'origine tchétchène devenu président du CDP. L'État de siège se prolonge du 24 septembre au 18 octobre, journées pendant lesquelles communistes et forces de l'ordre acquises à Eltsine s'affrontent violemment. La révolte cause près de 200 morts, et s'achève par la reddition des Parlementaires.

Le 12 décembre 1993, la nouvelle Constitution est définitivement adoptée par référendum. Cette adoption est suivie le même mois par des élections parlementaires qui voient l'entrée au Parlement du nationaliste Vladimir Jirinovsky et un éclatement de la nouvelle assemblée entre plusieurs partis de taille moyenne. Le parti présidentiel, « Le choix de la Russie », n'obtient que 15,5 % des voix. Tous les putschistes seront pardonnés en 1994 par Boris Eltsine.

DOCUMENT 2

Constitution russe du 12 décembre 1993

 Nous, peuple multinational de la Fédération de Russie, uni par un destin commun sur notre terre, affirmant les droits et libertés de l'homme, la paix civile et la concorde, conservant l'unité de l'État historiquement constituée, nous fondant sur les principes universellement reconnus d'égalité en droit et d'autodétermination des peuples, vénérant la mémoire des ancêtres qui nous ont transmis l'amour et le respect de la Patrie, la foi dans le bien et la justice, faisant renaître l'État souverain de la Russie et rendant intangible son fondement démocratique, visant à assurer le bien-être et la prospérité de la Russie, mus par la responsabilité pour notre Patrie devant les générations présentes et futures, nous reconnaissant comme une part de la communauté mondiale, adoptons LA CONSTITUTION DE LA FÉDÉRATION DE RUSSIE.

Article 1

1. La Fédération de Russie - Russie est un État démocratique, fédéral, un État de droit, ayant une forme républicaine de gouvernement. [...]

Article 4

1. La souveraineté de la Fédération de Russie s'étend à l'ensemble de son territoire.

2. La Constitution de la Fédération de Russie et les lois fédérales ont primauté sur tout le territoire de la Fédération de Russie. [...]

Article 5

1. La Fédération de Russie est composée de Républiques, de territoires, de régions, de villes d'importance fédérale, d'une région autonome et de districts autonomes, sujets égaux en droit de la Fédération de Russie. [...]

Article 8

1. Dans la Fédération de Russie sont garantis l'unité de l'espace économique, la libre circulation des biens, services et moyens financiers, le soutien de la concurrence, la liberté de l'activité économique.

2. Dans la Fédération de Russie sont également reconnues et protégées la propriété privée, d'État, municipale et les autres formes de propriété. [...]

Article 10

Le pouvoir d'État dans la Fédération de Russie est exercé sur la base de la séparation des pouvoirs législatif, exécutif et judiciaire. Les organes des pouvoirs législatif, exécutif et judiciaire sont indépendants. [...]

2. Aucune idéologie ne peut s'instaurer en qualité d'idéologie d'État ou obligatoire.

3. Le pluralisme politique et le multipartisme sont reconnus dans la Fédération de Russie. [...]

Article 81

1. Le président de la Fédération de Russie est élu pour quatre ans par les citoyens de la Fédération de Russie sur la base du suffrage universel, égal et direct, au scrutin secret. [...]

Article 83

a. nomme avec l'accord de la Douma d'État le président du gouvernement de la Fédération de Russie ; [...]

c. prend la décision relative à la démission du gouvernement de la Fédération de Russie ;

d. présente à la Douma d'État une candidature pour la nomination à la fonction de président de la Banque centrale de la Fédération de Russie ; propose à la Douma d'État de relever de ses fonctions le président de la Banque centrale de la Fédération de Russie ; [...]

f. présente au Conseil de la Fédération les candidatures à la nomination aux fonctions de juges à la Cour Constitutionnelle de la Fédération de Russie, à la Cour suprême de la Fédération de Russie, à la Cour supérieure d'arbitrage de la Fédération de Russie, ainsi que la candidature du Procureur général de la Fédération de Russie ; présente au Conseil de la Fédération la proposition de mettre fin aux fonctions du Procureur général de Russie ; nomme les juges des autres tribunaux fédéraux [...] ;

Article 84

a. décide de la date de l'élection à la Douma d'État conformément à la Constitution de la Fédération de Russie et à la loi fédérale ;

b. dissout la Douma d'État dans les cas et selon la procédure prévus par la Constitution de la Fédération de Russie ;

c. décide de l'organisation du référendum selon la procédure fixée par la loi Constitutionnelle fédérale ; [...]

Article 90

1. Le président de la Fédération de Russie adopte des décrets et des ordonnances.

2. Les décrets et ordonnances du président de la Fédération de Russie sont obligatoires sur l'ensemble du territoire de la Fédération de Russie. [...]

COMMENTAIRE

Cette Constitution est le véritable enjeu de la crise de 1993. Elle remplace celle de 1978, héritée de l'Union soviétique. Elle a un double objectif : ancrer définitivement la Russie sur le modèle de la démocratie occidentale tout en garantissant la pluralité politique et la liberté d'expression et d'opinion. Elle garantit de même la propriété privée et réconcilie la Russie contemporaine avec la Russie pré-soviétique. À cette rupture claire d'avec le communisme s'ajoute un objectif de donner au pouvoir exécutif présidentiel une suprématie absolue dans le pays. La force de Boris Eltsine est de recourir une nouvelle fois au référendum, comme il l'avait fait en 1991 lorsqu'il obtint ainsi l'élection d'un président de la Russie au suffrage universel. C'est ainsi que le président russe gouverne jusqu'en 1999 avec un Parlement qui lui reste hostile, mais incapable de s'organiser en force de gouvernement. Non seulement le pouvoir de la Douma sur le président est extrêmement limité, mais ce dernier peut dissoudre le Parlement quand bon lui semble, tandis qu'il possède un pouvoir de nomination quasi discrétionnaire dans le domaine de la justice. Jusqu'en 1999, Boris Eltsine utilise ces prérogatives pour préserver la Russie du retour des communistes et pour protéger son propre pouvoir. À partir de l'arrivée de Vladimir Poutine à la présidence, la Constitution russe devient l'instrument essentiel du rétablissement de l'État dans le cadre du vaste plan de réformes que lance le nouveau président. Cette suprématie de l'exécutif sera encore renforcée par le passage du mandat présidentiel de quatre à six ans en 2008.

CONCLUSION

L'année 1993 oppose deux pouvoirs légitimés par les élections de la fin du Régime soviétique. Le pouvoir exécutif, incarné par Boris Eltsine élu en juin 1991, président de la république socialiste soviétique de Russie et le Congrès du peuple russe élu en mars 1990, qui fait office de Parlement. Elle inaugure également un système de gouvernement qui perdure jusqu'en 2000, où l'exécutif dirige le pays contre un Parlement contrôlé par une opposition sans volonté politique réelle.

L'intelligence de Boris Eltsine, après qu'il eut provoqué la dissolution du Parlement en septembre 1993, est de ne pas se concentrer sur les législatives, mais sur l'adoption par référendum de sa nouvelle Constitution, de type présidentialiste, qui garantit un renforcement radical de son pouvoir. Il n'apportera d'ailleurs guère de soutien à son parti « Le choix de la Russie ».

La force de l'exécutif devient évidente, lorsque l'on observe la simplicité avec laquelle Eltsine remplace les ministres clés, que ce soient les Premiers ministres ou les ministres de l'Économie.

Enfin, la Constitution de Boris Eltsine devient, sept ans plus tard, entre les mains de Vladimir Poutine, un outil remarquable d'efficacité. Elle est largement inspirée de la Vᵉ République française, notamment dans la place privilégiée donnée à l'exécutif et précisément au président de la Fédération de Russie.

PROPOSITION DE PLAN

Le putsch de 1993

INTRODUCTION

I. L'ÉCHEC ÉCONOMIQUE ET POLITIQUE

A. Les réformes libérales
1. Les origines de « la thérapie de choc »
2. Libéralisation des prix et ses conséquences

B. Une classe politique en mutation
1. Un entourage présidentiel incertain, aux compétences limitées
2. Le retour des communistes

C. Un pays hors de contrôle
1. Hyperinflation et explosion mafieuse.
2. La remise en cause du pouvoir central (Tatarstan, Caucase...)

II. LA VICTOIRE D'ELTSINE

A. Légalité et légitimité
1. Boris Eltsine, l'homme de l'exécutif
2. Le conflit contre le parlement

B. La nouvelle Constitution
1. Le présidentialisme
2. Neutralisation de la Douma

C. Les nouvelles forces politiques
1. Communistes et nationalistes
2. Préfiguration des élections législatives de 1995

CONCLUSION

3 octobre 1993 : La crise constitutionnelle

La réélection de Boris Eltsine

INTÉRÊT

Cette élection présidentielle est la première élection démocratique russe depuis la chute de l'URSS et l'introduction de la nouvelle Constitution. Elle consacre l'échec définitif du communisme en Russie. L'ensemble de la campagne électorale s'articule autour du risque de retour de cette idéologie, dont le peuple russe ne veut définitivement plus. Le discours anachronique du chef du parti communiste, Guennadi Ziouganov, ne passe pas auprès de la population. Cette élection correspond également à l'apogée du pouvoir des oligarques, ces élites économiques nées des réformes libérales. Souvent en conflit, ils s'unissent pour cette réélection devant la peur de voir un pouvoir communiste, les priver des privatisations avantageuses dont ils ont bénéficié. Les moyens énormes, qu'ils mettent en place pour soutenir le président sortant, démontrent également leur vulnérabilité vis-à-vis du pouvoir politique, et préfigure l'erreur fatale qu'ils commettront trois ans plus tard, en acceptant un inconnu, Vladimir Poutine, pensant se mettre à l'abri définitivement. C'est également une spécificité de ce scrutin que de voir surgir avec succès un nouveau courant politique, qui détourne le besoin d'ordre et de patriotisme du communisme ou du parti libéral démocrate, pour le concentrer vers un candidat aux valeurs conservatrices rassurantes, Alexandre Lebed. Trois ans plus tard, c'est Vladimir Poutine qui incarnera cette tendance. Enfin, Mikhaïl Gorbatchev y est humilié, ne récoltant que 0,5 % des voix.

CONTEXTE

La Russie est dans une situation politico-économique catastrophique. Boris Eltsine est donné perdant et les oligarques se mettent d'accord autour d'Anatoli Tchoubaïs pour soutenir Eltsine et empêcher ainsi le retour des communistes et la perte assurée de leurs gains.

L'élection de 1996 correspond à la fin d'un cycle qui a commencé en 1989 et qui a rythmé la vie politique de la Russie par un nombre important de consultations populaires. Durant cette période de sept ans se sont tenus huit élections et trois référendums nationaux, sans compter les élections régionales et locales. Même si ces élections ne se sont pas toujours déroulées dans les meilleures conditions possibles, elles ont cependant progressivement légitimé le système démocratique en Russie, et ont permis la mise en place d'un système politique pluraliste. Il convient de souligner que même lorsque le pouvoir en place a perdu certaines de ces élections, il n'en a jamais contesté les résultats. Les élections de ce cycle ont été à juste titre qualifiées de fondatrices.

L'élection présidentielle de juin 1996 succède aux élections législatives de décembre 1995, qui ont été une défaite cuisante pour l'équipe au pouvoir. Elles se sont tenues deux ans après les précédentes, comme le prévoyait la loi électorale, tandis que le cycle régulier est prévu par la suite, tous les quatre ans. Ces législatives se déroulent de manière bien plus ouverte que celles de 1993, où de nombreux partis qui s'étaient opposés à Boris Eltsine lors de la crise constitutionnelle s'étaient vus refuser l'enregistrement. Ces élections se caractérisent au contraire par une extrême fragmentation des partis politiques, 43 au total, et par un accès assez égalitaire aux médias. Les résultats ne seront d'ailleurs contestés par aucun des partis en présence. La règle des 5 % des suffrages exprimés limite cependant la représentativité de la nouvelle Douma, puisque près de la moitié des électeurs qui ont voté pour les petits partis ne sont pas représentés. Cette défaite électorale aux législatives n'a pas été suivie par un changement de gouvernement, le KPRF de Guénnadi Ziouganov (parti communiste) ayant été incapable de former une coalition pour imposer un gouvernement à Boris Eltsine, ce qui contribue à le discréditer au moment de la présidentielle. En janvier 1996, les sondages ne promettent pas plus de 5 % des intentions de vote à Boris Eltsine.

L'élection présidentielle de 1996, même si elle constitue paradoxalement une étape importante dans la légitimation du régime démocratique, se déroule de manière beaucoup moins « saine » que la législative de 1995. Ainsi, plusieurs candidats qui auraient pu prendre des voix au président sortant se voient refuser l'enregistrement. Le parti présidentiel contrôle la quasi-totalité des médias et bénéficie de l'appareil d'État. Les conseillers de Boris Eltsine, à commencer par Anatoli Tchoubais, mettent en place une machine coûteuse qui fonctionne comme un rouleau compresseur électoral. À la commission électorale, Boris Eltsine déclare des dépenses de campagne à hauteur de $3 millions. Elle en aura vraisemblablement coûté, en réalité, plus de $500 millions. Mettant en avant le « péril rouge », Eltsine bénéficie à la fois du soutien de la jeunesse et des puissances étrangères, qui lui apportent un appui indéfectible, notamment en lui octroyant discrétionnairement des prêts généreux pour financer sa réélection. Parallèlement à une campagne très efficace, le gouvernement s'efforce également de payer les arriérés de salaires et les retraites de la population.

Fort de ces soutiens et de cet appareil, Eltsine met en œuvre une campagne très habile. Il inclut notamment entre les deux tours l'un de ses concurrents les plus populaires, Alexandre Lebed, tandis que d'autres comme Grigori Yavlinsky, du parti « Yabloko », sont discrédités ou tout simplement empêchés de se présenter, comme Galina Starovoitova.

Boris Eltsine bénéficie également de l'irrésolution du candidat communiste. L'un des traits de cette campagne présidentielle, qui ressort particulièrement entre les deux tours, est en effet l'absence de volonté de Guennadi Ziouganov, de vouloir réellement remporter l'élection. De fait, après les élections présidentielles de 1996, le KPRF perd définitivement le statut de parti de gouvernement.

Le prix à payer pour cette victoire est toutefois énorme pour Boris Eltsine, à commencer par une aggravation de son État de santé. En automne 1996, il est victime d'un accident cardiaque. Sa santé décline jusqu'à son départ de la Présidence en même temps que son influence politique. De plus, il a augmenté considérablement l'influence des oligarques sur son propre pourvoir et se trouve désormais définitivement sous la coupe de Boris Berezovsky, que Paul Khlebnikov surnommera plus tard le « parrain du Kremlin ». Afin de satisfaire ses soutiens, Eltsine crée 10 postes de vice-Premier ministre, pour chacun des clans qui s'agitent autour de lui.

Cette élection sera suivie quelques mois plus tard par le renouvellement au suffrage universel d'une bonne partie des gouverneurs. Le pouvoir de Boris Eltsine en sortira sensiblement diminué, forcé qu'il fut à de nombreuses concessions pour se faire réélire.

DOCUMENT

Interview de Viatcheslav Nikonov[1] par Tamara Zamiatina dans « Moscovsky Novosti », le 6 juillet 2006

 – Viatcheslav Alexeievitch, que s'est-il passe réellement ? Les élections furent-elles libres et démocratiques ?

– Toute la seconde campagne électorale du président Boris Eltsine a été un élément de ruse politique. Tous les mass-médias, à l'exception du journal « Pravda », soutinrent Boris Nikolaevitch. Les dépenses consacrées a son

---

1. Viatcheslav Nikonov était le vice-président du comité de coordination pour le soutien à la candidature de Boris Eltsine.

élection ont dépassé plusieurs fois les limites officielles. Il y a eu certainement des fraudes. En tout cas, les ressources administratives ont été utilisées dans leur totalité.

La fin justifie les moyens et je ne qualifierais pas cette campagne d'élections démocratiques.

[...]

– Qui étaient les membres les plus efficaces de l'État-major de campagne?

– Très largement, Tchoubais, bien sûr. Il fut la cheville ouvrière de notre campagne. Il a animé notre travail sur une base managériale. C'est une personne très organisée. [...] Il a donné à notre travail la forme d'un projet : il a désigné des responsables, mis en place des systèmes de contrôle et ainsi de suite. Ce fut une bonne campagne du point de vue du management. Je pense que dans le pays, il n'y a que deux ou trois personnes capables de diriger une campagne de dimension nationale. [...] Sourkov, Tchoubais et Vassili Shakhnovsky, un ancien membre du personnel de campagne d'Eltsine.

– Pensez-vous qu'après la victoire d'Eltsine un grand changement soit intervenu dans la politique?

– Deux ou trois ans après la victoire, quand Tchoubais a dirigé l'administration présidentielle, et que Nemtsov a été premier vice-ministre, l'ère libérale a atteint son sommet. [...] Ce fut l'apogée de l'influence de Berezovsky, que je ne cherche pas à définir du point de vue idéologique. Ce fut la période des prêts contre actions quand les parts essentielles des grandes propriétés tombèrent entre les mains de quelques individus. Ce fut également la période ou le pays fut gouverne par la « Famille » ainsi nommée, tandis qu'Eltsine s'enfonçait dans la maladie. [...]

Ce fut une période de transition. La fin du processus révolutionnaire en Russie, la redistribution révolutionnaire de la propriété. Le changement rapide des repères. Et pour Eltsine personnellement, ce fut la période de la recherche de la réponse à la question de savoir qui allait lui succéder. Cela explique les remaniements constants des Premiers Ministres, dont tout le monde se moquait. En fait, le président essaya toutes les cartes, qui toutes s'avérèrent insuffisantes. Jusqu'à ce qu'il tire le joker, qui se trouva être Vladimir Poutine.

COMMENTAIRE

La situation pour Boris Eltsine à la fin de l'année 1995 est quasiment désespérée. Le candidat communiste Ziouganov, le devance largement. Dans les sondages d'opinion, il n'arrive qu'à 5 % des intentions de vote. Anatoli Tchoubaïs devient l'homme de la situation en coordonnant la campagne du président et en obtenant des oligarques le soutien nécessaire à la victoire. Ces derniers, contrôlant la plupart des médias de masse et bénéficiant de moyens financiers colossaux permettent à Eltsine de rattraper son retard et d'arriver en tête au premier tour, le 16 juin 1996, puis de battre assez largement son rival communiste avec 53 % des voix.

La première alarme vraiment sérieuse pour Boris Eltsine résonne lors de la défaite de ses alliés aux élections Parlementaires de décembre 1995. La Douma est désormais largement contrôlée par les forces de gauche. Cependant ce mauvais résultat se révèle sans importance réelle dans l'exercice concret du pouvoir, puisqu'il ne provoque pas de changement de gouvernement. Ces élections ont cependant le mérite de respecter les critères démocratiques, puisque tous ceux qui désiraient y participer ont pu le faire, et que d'ailleurs, les résultats ne furent contestés par aucun des participants.

La campagne de Boris Eltsine s'articule donc autour de trois axes majeurs :

- la peur du retour du communisme ;
- la communication de masse grâce aux médias mis à sa disposition ;
- le rattrapage des arriérés des salaires et des retraites dans la période précédant les élections.

CONCLUSION

L'élection de Boris Eltsine ouvre une nouvelle séquence historique de quatre ans qui est une phase de transition entre la période révolutionnaire et la période de stabilisation qui débute en 1998 avec l'arrivée au pouvoir d'Evgueni Primakov. Elle signifie à la fois l'impossible retour des communistes, l'apogée de la puissance oligarchique et la toute-puissance de l'exécutif dans le système politique russe.

PROPOSITION DE PLAN

1996 : La réélection de Boris Eltsine

INTRODUCTION

I. UNE ÉLECTION PERDUE D'AVANCE
   A. La Russie ruinée
      1. Pauvreté et désindustrialisation
      2. Le bourbier tchétchène
   B. Les forces en présence
      1. La victoire des communistes en 1995
      2. Les oligarques
   C. Une élection mal engagée
      1. Les sondages au plus bas
      2. Eltsine isolé

II. UNE CAMPAGNE « MODELÉ »
   A. La mobilisation des oligarques.
      1. Tchoubaïs et Bérézovsky
      2. Le contrôle des médias
   B. Le retour d'Eltsine
      1. La peur du retour en arrière
      2. Une temporaire mais significative amélioration économique
   C. La victoire
      1. La victoire à quel prix ?
      2. L'apogée des oligarques

CONCLUSION

Les accords de Khassaviourt

INTÉRÊT

La première guerre de Tchétchénie est un révélateur impitoyable du niveau de délitement de l'administration Eltsine. Les accords de Khassaviourt mettent fin temporairement au conflit et provoquent l'indépendance de fait de la Tchétchénie. La province devient une zone de non-droit dans le Caucase, où les trafics d'esclaves et d'otages deviennent désormais la première activité économique. Ces accords mettent en doute la pérennité même de l'État russe. La fin de la première guerre en Tchétchénie marque donc l'affaiblissement du pouvoir russe à l'intérieur de ses frontières.

CONTEXTE

Djokhar Doudaïev, ancien général de l'Armée rouge, se fait élire président de la République autonome de Tchétchénie-Ingouchie en octobre 1991. Il déclare immédiatement l'indépendance de la Tchétchénie sans que cela traduise réellement une volonté populaire. Il anticipe la dissolution de l'URSS et comprend que les morceaux de l'empire seront répartis entre les chefs politiques les plus audacieux. Bénéficiant du soutien du Secrétaire d'État américain James Baker, Doudaïev refuse de ratifier le traité de la Fédération en avril 1992. Il est rejoint en cela par le Tatarstan, autre République à majorité musulmane de Russie, dont l'indépendance signifierait la disparition de la Russie en tant que telle, étant donné sa position à l'intérieur du territoire russe et son importance économique. Dans le même temps Doudaïev tente d'obtenir le soutien de pays musulmans comme l'Arabie saoudite, les Émirats arabes unis ou la Turquie. Doudaïev bénéficie en outre du développement massif de la mafia tchétchène en Russie, particulièrement à Moscou, où le président tchétchène reçoit le soutien d'un homme d'affaire de plus en plus influent, Boris Bérézovsky. La Tchétchénie devient une véritable zone de non droit à l'intérieur de la Russie qui permet à de nombreux hauts fonctionnaires russes de piller impunément les réserves monétaires et pétrolières de la Russie. La guerre en Tchétchénie est étroitement liée à la volonté de Doudaïev de contrôler la totalité des ressources pétrolières en transit dans la région. Quoi qu'il en soit, en décembre 1994, Eltsine et son entourage, notamment son ministre de la défense Pavel Gratchev, décident de reprendre le contrôle de la République séparatiste.

Les Russes réussissent à prendre Grozny en janvier 1995, mais l'armée russe est dans un État de déliquescence avancé et ne peut rien contre les rebelles réfugiés dans les montagnes. Les indépendantistes décident d'étendre la guerre dans toute la Russie. C'est ainsi qu'a lieu la première prise d'otages de masse, à l'hôpital de Boudennovsk en juin 1995.

L'élimination de Doudaïev par un missile russe en mai 1996, joue certainement en faveur de la réélection de Boris Eltsine, mais ne met pas un terme aux combats. Au contraire, Grozny est reprise par Chamil Bassaïev au début du mois d'août 1996. Boris Eltsine accepte de mandater le général Alexander Lebed pour négocier une paix de compromis à Khassaviourt. Cette paix donne une indépendance de fait immédiate à la Tchétchénie, tout en repoussant la décision finale en 2001.

Extraits de *Les Mutations de l'armée russe : 1991-2005*, ministère de la Défense, Cahier de la recherche doctrinale.

 Ainsi, le 31 décembre 1994 une colonne blindée russe s'élance vers le cœur de la ville et le centre du pouvoir mais se retrouve bloquée sur la place du palais présidentiel, sans soutien d'infanterie, sous les tirs d'armes antichars tchétchènes. Les Russes avaient présupposé que les Boïvikis, force de guérilla par excellence, se replieraient dans les montagnes. Or, les dirigeants tchétchènes font le pari inverse en défendant le palais présidentiel, centre du pouvoir indépendant. Ils utilisent un environnement tactique favorable à la guérilla urbaine, avec des abris en béton, des ruines, des caves, des champs de tirs aménagés dans les rues et des dépôts, et misent sur la forte concentration de journalistes présents dans la capitale pour faire l'écho de leur lutte, voire de leur succès.

Pour tenir en échec les Russes, les Tchétchènes – environ 7 000 combattants contre 50 000 Fédéraux – constituent des unités de combattants très mobiles, pratiquant une tactique fluide et décentralisée. Ces unités sont divisées en compagnies de 75 hommes, elles-mêmes divisées en sections de 24 combattants, subdivisées en unités décentralisées de trois groupes de huit hommes. [...]

Dans la défensive les Tchétchènes mènent des embuscades, piègent le terrain, battent en retraite pour réapparaître ailleurs utilisant ainsi un mode opératoire imprévisible et non linéaire. [...]

Peu motivé par cette première guerre, l'encadrement rechigne à risquer la vie des soldats. Beaucoup d'unités sont constituées d'appelés peu entraînés pour des combats urbains et qui se rendent parfois sans combattre. [...]

Enfin, la doctrine russe sur le combat en zone urbaine date de la Seconde Guerre mondiale et des batailles de Stalingrad et de Berlin. Face à des combattants tchétchènes déterminés utilisant des méthodes de combat innovantes, dans une ville en ruine, ils utilisent des blindés et des unités motorisées, sans que l'infanterie ne parvienne à les suivre et que celle des véhicules de transport de troupes ne parvienne à sortir de ses engins.

Le déclassement des années 1990 est également militaire. Malgré l'expérience de son armée, la guerre est menée en dépit du bon sens. L'armée russe a oublié tous les enseignements de son expérience en Afghanistan, où elle avait pourtant su s'adapter efficacement à la guerre de guérilla. Elle commet un certain nombre d'erreurs qui vont lui être fatales :

- bombardement massif de la capitale Grozny et de l'ensemble des villes tchétchènes, ce qui entraîne un afflux massif de réfugiés et choque les opinions occidentales. Les ruines de Grozny deviennent un enfer impénétrable pour les forces russes ;

- emploi de conscrits incapables de tenir tête aux guerriers tchétchènes particulièrement endurcis. En outre les images des sévices subis par les jeunes soldats russes contribuent à démoraliser la population russe ;

- emploi de colonnes de blindés inadaptées à l'intérieur de Grozny, qui permet aux combattants tchétchènes d'en détruire un nombre impressionnant ;

- désorganisation complète du commandement et indiscipline quasi totale au sein des unités, dont les chefs se laissent aisément corrompre.

DOCUMENT

Dépêche de presse AFP-REUTER du lundi 19 juin 1995

 Après le recours à la force, Moscou semble accepter les conditions des « terroristes ». Qui quittaient l'hôpital de Boudennovsk avec des otages ce lundi midi.

Assiste-t-on au dénouement de la prise d'otages de Boudennovsk, cette ville située à quelque 120 km au nord-ouest de la Tchétchénie, où un commando d'indépendantistes tchétchènes s'était emparé d'un hôpital la semaine dernière ? En tout cas, après le cessez-le-feu des forces russes en Tchétchénie entré en application hier à 20 heures locales sur ordre du commandant en chef des troupes dans la République, le général Anatoli Koulikov, les quelque

127 séparatistes du commando commençaient à s'embarquer à bord d'autobus ce lundi midi, non sans emmener un nombre d'otages identique, ainsi que des représentants de l'administration, des députés et des journalistes. [...]
L'arrêt des combats - commencés par l'intervention militaire russe le 11 décembre dernier - était l'une des conditions essentielles du commando tchétchène de Chamil Bassaïev.

En fait, durant la journée d'hier, et après des assauts russes menés en vain, samedi, contre l'hôpital, Moscou a proposé d'arrêter la guerre en Tchétchénie en échange de la vie des otages. Mais le commando hésitait encore, craignant un piège des autorités russes. Chamil Bassaïev a ainsi affirmé à « Échos de Moscou » qu'il ne relâcherait pas les otages dimanche soir, car il ne voulait pas s'enfuir de nuit de l'hôpital où il est retranché et s'exposer ainsi à une attaque des forces russes. Une nouvelle nuit d'angoisse a donc été le lot des otages détenus depuis mercredi par un commando d'une soixantaine de Tchétchènes, dans un hôpital au toit brûlé et effondré, encerclé par les forces de l'ordre et les blindés russes. [...]

Pour sa part, Chamil Bassaïev déclarait hier soir, à « Échos de Moscou », qu'il n'avait pas de raison de ne pas croire Viktor Tchernomyrdine, réputé plutôt favorable à une solution pacifique depuis le début de la guerre en Tchétchénie. Mais le chef de guerre restait sur ses gardes : Si le gouvernement ne respecte pas ses promesses, il y aura beaucoup de successeurs qui pourront répéter les mêmes actions dans d'autres lieux de Russie.

COMMENTAIRE

La prise d'otage de Boudennovsk met au premier plan Chamil Bassaïev, un chef de guerre très réputé, qui sera ministre sous la présidence d'Aslan Maskhadov (1997-1999). Il est caractéristique de l'évolution du conflit tchétchène, du nationalisme vers un islamisme radical qui dépasse aujourd'hui largement les frontières de la Tchétchénie, pour se répandre dans l'ensemble du Caucase. Des terroristes internationaux comme le Saoudien Khattab jouèrent un rôle très important dans le conflit.

La prise d'otage de Boudennovsk inaugure une double stratégie des indépendantistes tchétchènes. Il s'agit, d'une part, d'afficher sa détermination de frapper sur l'ensemble du territoire russe, et d'autre part, d'organiser des prises d'otages de masse, dans le cadre de véritables opérations militaires, capables de durer dans le temps, d'attirer l'attention des médias nationaux et internationaux, de manière à déstabiliser durablement le gouvernement russe. La gestion de la prise d'otages par le Premier ministre russe, Viktor Tchernomyrdine, est un fiasco complet.

La réussite de cette première prise d'otages de masse et son issue extrêmement favorable pour les preneurs d'otages qui parviennent à s'enfuir inspirera les terroristes tchétchènes durant la présidence Poutine. Ils ne réussiront cependant jamais à reproduire le succès de Boudennovsk. Que ce soit à la Doubrovka ou à Beslan, l'ensemble des membres des commandos seront éliminés rapidement. Ces opérations se révéleront ainsi beaucoup trop coûteuses en hommes, pour un résultat limité par l'inflexibilité du nouveau pouvoir russe.

CONCLUSION

Les accords de Kassaviourt symbolisent parfaitement l'extrême faiblesse politique et militaire de la Russie eltsinienne au lendemain des élections présidentielles. Ils sanctionnent une politique intérieure aventuriste et fragilisent la nouvelle Fédération de Russie dans son existence même, encourageant d'autres sujets de la Fédération à vouloir s'émanciper de Moscou. Paradoxalement, ces accords marquent le début du déclin des séparatistes tchétchènes. Le nouveau gouvernement est incapable de se faire respecter sur son territoire. Il est pris entre les traditionnelles querelles de clans et son débordement par les radicaux islamistes, avec lesquels le nouveau président Aslan Maskhadov tente de composer.

À partir des accords de Khassaviourt, la Tchétchénie devient une zone de non-droit à l'intérieur de la Fédération de Russie, où tous les trafics, y compris celui des esclaves, se développent en toute impunité. L'armée russe a cependant montré à la fin de l'année 1995, qu'elle pouvait s'adapter à cette guerre de guérilla, et a désormais tiré les leçons qui lui seront utiles lors de la seconde guerre de Tchétchénie. En outre la faction islamiste et terroriste n'a pas su de son côté, saisir l'aspect exceptionnel de sa victoire, due principalement à la désorganisation et la faiblesse du pouvoir central russe.

PROPOSITION DE PLAN

Les accords de Khassaviourt

INTRODUCTION

I. LE CONFLIT TCHÉTCHÈNE
- A. L'anarchie dans l'espace russe post-soviétique
  - 1. « Prenez autant de souveraineté que vous voulez »
  - 2. La spécificité tchétchène
- B. Un pouvoir affaibli
  - 1. Perte de légitimité
  - 2. Corruption généralisée
- C. La géopolitique anglo-saxonne
  - 1. Le grand échiquier
  - 2. Le soutien aux rebelles

II. LA PREMIÈRE GUERRE DE TCHÉTCHÉNIE
- A. L'offensive russe
  - 1. Une offensive mal préparée
  - 2. La résistance tchétchène
- B. Le terrorisme de masse
  - 1. Une stratégie inadaptée
  - 2. Boudennovsk
- C. Khassaviourt
  - 1. Une défaite plus politique que militaire
  - 2. Un régime politiquement à bout de souffle

CONCLUSION

17 AOÛT 1998

Le krach financier

INTÉRÊT

Cette crise marque la fin du cycle économique post-soviétique. Elle est une catastrophe économique pour la Russie mais paradoxalement, elle porte en elle, les germes de son redressement. Elle est liée à la baisse du prix des hydrocarbures conséquence de la crise asiatique de 1997. Gilles Walter résume la crise de 1998 en ces termes : « La crise financière de l'été 1998 a été unique par son ampleur et son étendue, puisqu'elle a conjugué un défaut de l'État sur la plus grande partie de sa dette publique interne, une dépréciation accélérée de la monnaie nationale, une accumulation progressive d'arriérés sur la dette externe et un effondrement du secteur financier privé. Elle a ainsi abruptement mis un terme à la spirale d'endettement dans laquelle s'était engagée l'économie russe depuis quelques années et fait éclater la bulle financière apparue depuis 1997 et qui contribuait à troubler aux yeux des observateurs la profonde dégradation de la situation économique et sociale en Russie. Car si les facteurs précis peuvent expliquer les événements de l'été, leur origine profonde est à chercher dans l'incapacité des autorités à mettre en œuvre les réformes de structure indispensables à l'assainissement et au redémarrage de l'activité économique. »

Différents rapports transmis à Evgueni Primakov à son arrivée au pouvoir en septembre 1998 (*Au cœur du pouvoir*, p. 351-355)

Le GTK a remis au gouvernement plusieurs rapports concernant les « exportations fictives » et le « transit fictif ». Des sociétés russes et étrangères se sont associées pour participer à des activités illégales. Vendeurs, acheteurs, transporteurs et intermédiaires se couvrent mutuellement à l'aide de documents falsifiés.

Nous citerons ici un exemple typique de transaction illégale, réalisée entre octobre 1997 et septembre 1998 par la société mixte russo-britannique Quorum. Cette dernière a profité du régime fiscal avantageux prévu pour les « exportations de matières premières transformables ». Quorum a conclu un contrat avec deux sociétés offshore, Total International Limited (îles Bermudes) et Quorum Enterprises (Grande-Bretagne). Il s'agissait de raffiner 3 millions de tonnes de mazout d'une valeur de 300 millions de dollars américains dans deux raffineries françaises et une raffinerie située au Pays-Bas. Les produits raffinés devaient être réimportés en Russie. Le GTK a délivré une licence pour cette opération. Nous avons cependant effectué une vérification supplémentaire de l'itinéraire des pétroliers auprès de la société de fret Llyoyd Shipping, et il est apparu que le mazout avait été déchargé en Grande-Bretagne, en Suède et à Gibraltar. Sous couvert de ce régime douanier préférentiel, des opérations commerciales ordinaires, dont l'achat d'essence à l'étranger, avaient donc été réalisées en contournant les taxes douanières.

Rapport du président du comité d'État aux douanes (GTK).

L'activité des sociétés et des banques enregistrées dans des zones offshore se réduit en fait à l'exportation de devises à l'étranger et à la légalisation de revenus criminels. Des centaines de millions de dollars sont ainsi exportées hors de Russie. Dans la seule République de Chypre, plus de deux mille sociétés ainsi que quatorze filiales et représentations de banques russes ne servent qu'à dégager des bénéfices occultes et à blanchir de l'argent sale. Selon les données du VEK, la majeure partie des devises étrangères, achetées sur le marché intérieur des changes au cours de la récente crise financière, a été placée dans des banques enregistrées dans les pays baltes et dans la République de Nauru. Une enquête menée notamment sur cinq banques mandataires a démontré qu'en août 1998, elles avaient acheté, pour le compte de banques enregistrées dans la République de Nauru, plus de 227 millions de dollars américains.

Extrait du rapport du chef du service fédéral de contrôle des exportations de devises (VEK).

 Les imperfections du code pénal, la criminalisation du système de crédit et du commerce extérieur, le détournement et le pillage des ressources budgétaires, la montée de la corruption et l'intensification de l'activité des groupes criminels contribuent à l'aggravation des difficultés que connaît actuellement le pays. Les crimes économiques revêtent un caractère de plus en plus audacieux et inventif. Certains responsables du pouvoir exécutif et des représentants de structures commerciales disposent de grandes facilités pour commettre des abus. Les cas d'acquisitions illégales de parts du capital public, ainsi que les tentatives de fraudes par des groupes organisés de citoyens russes et étrangers sont devenus plus fréquents. Les escrocs obtiennent de certains gouvernements de Républiques autonomes ou de responsables adminis-tratifs des obligations ou des traites, en échange d'une prétendue recherche d'investissements à long terme gagés sur des actions d'entreprises publiques, des biens immobiliers ou fonciers, ainsi que sur des matières premières qui appartiennent à l'État. Ces personnes placent ensuite ces obligations ou ces traites dans des banques étrangères et s'approprient les crédits qui leur sont accordés en contrepartie.

Certains directeurs de banques ont créé des sociétés avec leurs proches ou leurs fondés de pouvoir. Ces structures reçoivent des crédits à des taux préfé-rentiels, qui sont ensuite transférés à l'étranger. Ce qui permet également à la banque créancière d'échapper à l'imposition. On octroie ainsi à des banques non résidentes des crédits en devises qui au lieu d'être remboursés, sont indéfiniment prolongés.

Extrait du rapport du directeur du Service fédéral de sécurité (FSB).

 Le détournement et le pillage des fonds budgétaires débouchent sur l'enri-chissement illégal de particuliers aux dépens de l'État, sur une multiplication des partenariats financiers et économiques occultes et sur le père de contrôle par l'État, d'entreprises potentiellement rentables.

Les organes de contrôle du Trésor fédéral commettent eux-mêmes de nombreuses infractions. En 1997, sur les 620 milliards de roubles qui devaient être perçus par le budget fédéral, le Trésor n'a pu recouvrer que 27,3 milliards de roubles, soit 9,5 % des recettes initialement prévues. La banque centrale de la Fédération de Russie se voit rarement demander de retirer des licences aux banques en infraction.

Le business « parallèle » finance activement la corruption qui unit la criminalité organisée et les fonctionnaires d'État, ces derniers prenant des décisions en faveur des organisations contrôlées par les milieux criminels. Selon diverses évaluations, entre 20 % et 50 % des bénéfices des structures criminelles et commerciales servent à soudoyer les fonctionnaires.

Extrait du rapport du procureur général de la Fédération du Russie.

COMMENTAIRE

La crise financière de 1998 est l'ultime grande crise de transition russe. La raison profonde de la crise est à rechercher dans l'incapacité endémique de l'État russe d'améliorer la situation de ses finances publiques. Sous l'influence des institutions internationales, la politique de réformes des années 1990 se concentre sur la privatisation et la stabilisation de l'inflation. L'absence de véritables réformes structurelles permettant de modifier positivement les comportements microéconomiques des entreprises et des ménages, fait que les recettes fiscales demeurent très insuffisantes pour éviter le creusement du déficit budgétaire. En conséquence, la dette publique s'emballe et son financement n'est assuré que pendant un temps grâce à l'émission de bons du Trésor (les GKO). Lorsque les autorités russes ouvrent le marché de la dette interne aux investisseurs étrangers, courant 1997, elles s'exposent à des conséquences incalculables. Certes, cette libéralisation de l'accès des capitaux aux instruments de la dette russe permet une détente temporaire des taux (et donc du service de la dette) grâce à l'élargissement de la demande. Mais, les marchés de capitaux sont extrêmement volatils. Au moindre signal négatif, les capitaux se retirent aussi vite qu'ils sont apparus.

Le premier signal négatif provient de la crise asiatique de l'automne 1997, qui refroidit l'attrait global des émergents pour les grands investisseurs institutionnels. Le second provient de la baisse continue des prix internationaux des hydrocarbures, facteur clé influant sur les équilibres financiers et macroéconomiques en Russie. Et le troisième est l'incapacité des autorités d'améliorer la situation des finances publiques qui devient de plus en plus préoccupante

En 1998, les recettes liées aux exportations de pétrole baissent de $4,5 milliards soit une baisse de 35 % sur les contrats. Le gouvernement russe réussit pendant les sept premiers mois de l'année à maintenir le cours du rouble, qui ne baisse sur la période que de 4,8 %. Cependant, à partir du 17 août, la fuite des capitaux n'est plus supportable, le change dévisse et la dévaluation s'emballe. Entre cette date et la mi-septembre, le rouble perd 60 % de sa valeur par rapport au dollar américain. Au total la devise russe perdra 72 % de sa valeur entre le début et la fin de l'année 1998.

Cette dévaluation s'accompagne d'une inflation massive, qui passe de 3,7 % en glissement mensuel en août, à 38,4 % en septembre 1998. La base monétaire passe officiellement de 159 milliards de roubles au 31 août à 175 milliards le 5 octobre. Sur l'ensemble de l'année 1998, la hausse des prix atteint de 84,4 % en glissement. Comme la dévaluation, elle ne commence à ralentir qu'au début de l'année 1999. L'inflation frappe préférentiellement les produits importés ce qui aura à terme un effet positif sur l'économie russe.

La non-indexation des salaires sur les prix a permis aux entreprises de faire porter une bonne partie de l'ajustement de la chute de la demande sur les salaires des employés et ouvriers. Les entreprises russes ont ainsi préféré la baisse des salaires à la réduction des effectifs, ne se privant pas d'actifs redevenant utiles au moment du redémarrage de l'économie. Ce premier facteur s'est associé à un autre, bénéfique pour l'économie russe, qui est le remplacement des produits de consommation importés par des produits locaux redevenus compétitifs à la faveur de la forte dépréciation du change et de l'augmentation liée du prix des produits importés. En outre le gouvernement russe a su mettre en place une politique monétaire relativement rigoureuse basée sur le contrôle de l'émission monétaire.

Au total, la consommation chute en 1998 de 5,2 %, les dépenses de construction baissent de 6,6 %, la production industrielle de 5,2 %, particulièrement dans l'industrie légère qui enregistre une baisse de 11,7 %. Les premiers signes de l'effet vertueux de la dévaluation commencent cependant à se manifester par un arrêt de la baisse de la production industrielle dès octobre 1998. Celle-ci recommence à croître de manière régulière dans les mois qui suivent grâce à l'amélioration de la compétitivité prix de l'économie russe. Ce renouveau de la demande extérieure, illustré par un excédent commercial de $14,4 milliards en 1998, a ainsi compensé la baisse de la demande intérieure et posé les bases du renouveau économique de la Russie.

Parallèlement, le gouvernement est toutefois contraint d'adopter des mesures radicales pour faire face à la profonde crise financière :

– mesures de contrôle des changes (limitation des positions longues en devises pour les banques commerciales, obligation pour les exportateurs de vendre 70 % de leurs devises étrangères) ;

– blocage des dépôts des particuliers dans les banques ;

– intervention active de la banque centrale (BCR) sur le marché des changes pour limiter la fuite vers le dollar ;

– gel du paiement des GKO (bons du Trésor).

– mise en place d'une série de mesures pour éviter l'évasion fiscale (limitation des transferts d'argent par les personnes physiques, fermeture des banques suspectées d'opérations frauduleuses, renforcement du contrôle des activités des banques commerciales).

Le secteur bancaire subit également la crise de plein fouet, la BCR en constate alors les graves carences, bien que l'absence de surveillance de sa part soit en grande partie responsable de ce marasme. Les carences des banques russes concernent principalement :

- l'absence de prise en compte du risque bancaire ;
- l'amateurisme des équipes de direction de ces banques ;
- le détournement d'actifs par les propriétaires des institutions bancaires.

Le gouvernement Primakov (septembre 1998-mai 1999) réussit à prendre des mesures pour pallier les problèmes les plus urgents. Les barrières douanières sur sept produits de première nécessité sont abaissées, tandis que la Biélorussie et l'Ukraine sont invitées à payer leur dette gazière par des livraisons de denrées alimentaires. Primakov force le retour de la libre circulation des denrées sur le territoire de la Russie, contre certains gouverneurs qui tentent de contrôler l'inflation dans leur région en en interdisant la sortie. Enfin, la Russie obtient des États-Unis une aide alimentaire. Primakov entreprend également de faire payer les salaires de retard et fait contrôler par les services fiscaux 70 000 entreprises soupçonnées d'évasion fiscale, notamment AvtoVaz qui n'échappe au redressement qu'avec le départ de l'incorruptible Premier ministre. Ce dernier entreprend également un début de réforme fiscale sans pouvoir aller au bout.

Cette crise a donc permis un assainissement forcé de l'économie russe, mais l'absence de réformes structurelles laisse penser au début de l'année 1999, que la situation politico-économique de la Russie reste chancelante. Les réformes qui restent à accomplir dans ce domaine sont :

- la réforme des monopoles naturels qui doit permettre à l'État de bénéficier des ressources financières liées aux hydrocarbures. La tentative manquée de S. Kirienko de reprendre le contrôle de GAZPROM est un exemple de l'impuissance de l'État ;

- la réforme des banques est partie dans la mauvaise direction. Le gel des GKO et la dévaluation du rouble ont asséché les fonds propres des banques. Entre août et novembre, la capitalisation du secteur bancaire chute de 40 %. Malgré l'intervention de la banque centrale et la compréhension des créanciers étrangers, cette crise n'a pas été suivie d'un programme d'assainissement et de recapitalisation des banques russes.

La diminution des établissements bancaires a été faible compte tenu de la situation. Sur les 1 573 banques existantes en août 1998, seules 99 ont disparu en février 1999. La BCR reste incapable de profiter de la situation pour restructurer les banques et la restructuration débute de manière anarchique. Les réformes tant attendues ne seront mises en œuvre qu'avec l'arrivée au pouvoir de Vladimir Poutine. Certaines banques perdent leur licence, d'autres font faillite malgré l'aide de l'État, comme ABS Agro, ruinant des millions de petits épargnants. L'Onexim, la Menatep, la banque de Yukos et Most Bank, celle de Vladimir Gusinsky, se lancent dans des manœuvres opaques et frauduleuses pour récupérer ce qui leur reste d'actifs sains. Les pouvoirs locaux nationalisent les banques, comme à Saint-Pétersbourg ou à Sverdlosk dans l'Oural, ce qui accentue encore les velléités « autonomistes » de certaines régions en affaiblissant le pouvoir central. Le plus grave est que les principales victimes de ce cataclysme bancaire sont les épargnants. Le BCR a mis en place un système pour transférer les dépôts vers la SBERBANK au prix d'une perte équivalente aux deux tiers des montants. Les dépôts en roubles des particuliers ont baissé de 152 à 125 milliards de roubles soit une diminution de 45 % en termes réels en tenant compte de la dévaluation.

CONCLUSION

La crise de 1998 marque un tournant dans l'histoire récente de la Russie. Elle sonne la fin d'une époque, marquée par la disparition d'un certain nombre d'oligarques. Elle permet également un assainissement de l'économie russe et une remise à niveau du rouble brutale mais nécessaire. Les conditions favorables à la reprise qui apparaissent à la sortie de la crise ne seront exploitées vraiment qu'avec le train de réformes mises en place par Vladimir Poutine à son arrivée à la Présidence en mars 2000.

La crise de 1998

INTRODUCTION

I. UN CONTEXTE NATIONAL ET INTERNATIONAL DÉFAVORABLE

A. La crise asiatique
1. La situation en Asie
2. Baisse des matières premières

B. L'économie russe sous perfusion
1. L'endettement de l'État
2. Une économie hors de contrôle

C. L'impéritie de l'État eltsinien
1. L'échec des réformes économiques
2. L'incompétence au pouvoir

II. DE LA CRISE AU REDRESSEMENT

A. La banqueroute
1. La faillite du système bancaire
2. L'effondrement du rouble

B. La purge du système
1. La baisse du rouble comme moteur de l'économie
2. Première purge des oligarques

C. Le renouvellement politique
1. Primakov au pouvoir
2. La fin de la transition

CONCLUSION

Le bombardement de la Serbie

INTÉRÊT

Le bombardement de la Serbie marque le fond du déclin diplomatique de la Russie et de son rayonnement international. Bien que n'étant pas dupe des manipulations occidentales et turques au Kosovo, la Russie abandonne son allié traditionnel dans les Balkans.

La Russie, comme la Serbie accepte la plupart des exigences de Rambouillet, exceptée la présence de l'OTAN, contre celle de l'ONU. En ajoutant l'annexe B aux accords, les États-Unis feront en sorte de rendre le texte inacceptable. Bien que pleinement consciente du double jeu américain, le gouvernement russe n'a ni les moyens, ni la volonté d'intervenir.

CONTEXTE

Le gouvernement américain, sous la direction de Bill Clinton, et en dépit des garanties données en 1989, continue son offensive contre l'influence russe en Europe centrale et orientale. Depuis 10 ans, la Russie a assisté impuissante à l'expansion de l'OTAN malgré les garanties qui lui avaient été données au début du processus de libéralisation en Europe de l'Est. Cependant cette expansion s'était faite jusque-là pacifiquement dans la mesure où ni la Russie, ni l'un de ses alliés proches n'avaient eu à subir militairement la présence occidentale.

La Russie avait assisté à la première guerre du Golfe passivement. L'Irak de Saddam Hussein n'était pas un de ses alliés. Cette guerre a cependant marqué le début de l'unilatéralisme guerrier des États-Unis. Dans le même temps, la Russie perdait ses positions traditionnelles en Amérique du Sud, en Afrique ou en Asie.

Le bombardement de Belgrade est emblématique, car si l'OTAN s'en était pris aux Serbes jusque-là, elle n'avait pas frappé la Serbie en tant que telle, mais des minorités serbes en Krajina ou en Bosnie. Bien que Milosevic soit considéré comme un proche des Américains, le tropisme pro-serbe russe reste encore une réalité.

Dans le même temps, l'Allemagne achève de réduire à néant, la seule puissance politique qui pourrait s'opposer à elle dans les Balkans.

La politique allemande dans les Balkans. En 1974 ont lieu en Yougoslavie communiste, les premières révoltes nationalistes croates. La dissolution du pays devient un objectif majeur des services secrets allemands de l'Ouest, le BND. Si ces révoltes nationalistes sont sévèrement réprimées par Tito, elles permettent au BND d'infiltrer les milieux nationalistes croates, grâce notamment aux anciens réseaux oustachis. L'Allemagne ne peut se contenter d'une dislocation pacifique sur le modèle soviétique, car elle aboutirait du point de vue du territoire et de la population à une domination serbe dans la région. Les Allemands bénéficient d'une conjonction de leurs intérêts avec ceux des États-Unis, qui ont décidé de reproduire contre les Serbes (et leur allié russe), la stratégie afghane qui consistait à soutenir les mouvements islamistes contre les Soviétiques. Le gouvernement américain apporte ainsi son soutien, à l'islamiste radical Alija Izetbegovic, et soutient avec l'Allemagne, le fasciste Franco Tudjman.

Pour la Russie déclassée de Boris Eltsine, pas plus que pour la France de François Mitterrand, il n'est question de reproduire un conflit sur le modèle de celui qui avait opposé ces nations en 1914. Hans-Dietrich Gensher obtient de la France la reconnaissance immédiate et unilatérale de la Croatie, exerçant à l'occasion un « chantage » sur la construction européenne. La France s'orientait alors vers une transition négociée pour éviter les conflits qui ne manquèrent pas d'éclater à la suite. Le successeur de Gensher en 1992 est Klaus Kinkel, qui avait dirigé le BND de 1979 à 1982, étant un des artisans de la mise en place des réseaux oustachis à cette époque.

L'Allemagne et les États-Unis participent activement à l'épuration de la Krajina serbe en août 1995, le porte-avion USS Roosevelt y apportant même un appui aérien.

L'Allemagne joue de nouveau un rôle très actif pendant la guerre du Kosovo en entraînant les séparatistes albanais et en publiant le faux plan « fer à cheval », faisant croire à une tentative de nettoyage ethnique de la province.

DOCUMENT

Accords de Rambouillet, annexe B : statut de la force multinationale militaire de mise en œuvre

[...]

3. Les Parties reconnaissent la nécessité de procédures rapides d'entrée et de sortie des personnels de l'OTAN. Ils seront exemptés d'obligation de passeport et de visa et des règles douanières appliquées aux étrangers. À tous les points d'entrée et de sortie de la RFY, les personnels de l'OTAN pourront entrer et sortir de la RFY sur présentation d'une carte d'identité. Ils devront porter un signe d'identification qu'ils peuvent avoir à présenter aux autorités de la RFY, mais il ne sera pas possible d'entraver ou retarder les opérations, les exercices et mouvements à l'occasion de ces demandes. [...]

6. a - L'OTAN sera dispensée de tout processus juridique, qu'il soit civil, administratif ou criminel.

b - Les personnels de l'OTAN, en toutes circonstances et à tout moment, seront dispensés des juridictions des Parties, concernant toute agression civile, administrative, criminelle ou disciplinaire qu'ils sont susceptibles de commettre en RFY. Les parties aideront les États qui participent à l'opération à l'exercice de leur juridiction, qui prévaut sur leur juridiction nationale. [...]

7. Les personnels de l'OTAN devraient être dispensés de toute forme d'arrestation, enquête ou détention par les autorités de la RFY. Les personnels de l'OTAN arrêtés ou détenus à tort seront immédiatement remis aux autorités de l'OTAN.

8. Les personnels de l'OTAN bénéficieront, tout comme leurs véhicules, navires, avions et équipement d'un passage libre et sans restriction et d'un accès sans ambages dans toute la RFY, y compris l'espace aérien et les eaux territoriales associées. Ceci comprendra, sans y être limité, le droit de bivouaquer, manœuvré, de cantonner et d'utiliser toute zone ou installation, telles que l'exigent le soutien, l'entraînement et les opérations.

9. L'OTAN sera exemptée des droits, taxes et autres frais et inspections et règlements douaniers, y compris la fourniture d'inventaires ou de documents douaniers routiniers, pour les personnels, véhicules, navires, avions, équipements, fournitures et livraisons qui entrent, sortent ou transitent par le territoire de la RFY en soutien à l'Opération.

10. Les autorités de la RFY faciliteront, sur une base prioritaire et avec tous les moyens appropriés, tous les mouvements de personnels, véhicules, navires, avions, équipements, fournitures et livraisons à travers ou sur l'espace aérien, les ports, aéroports ou routes utilisés. Aucun frais ne pourra être exigé de l'OTAN pour la navigation aérienne, l'atterrissage ou le décollage d'avion, qu'ils soient propriété du gouvernement ou privés. De même, il ne peut être exigé aucun droit, taxe, péage ni paiement de navires de l'OTAN, qu'ils soient propriété d'un gouvernement ou privés, pour une simple entrée ou sortie de port. Les véhicules, navires et avions utilisés en soutien à l'opération ne pourront être soumis à des exigences de permis ou inscription, ni à une assurance commerciale.

11. L'OTAN, se voit accorder l'utilisation des aéroports, routes, chemins de fer et ports sans paiement de frais, droits, taxes, péages occasionnés par cette simple utilisation. L'OTAN ne pourra toutefois exiger une exonération de frais raisonnables pour des services spécifiques demandés et reçus, mais [...]

17. L'OTAN et les personnels de l'OTAN, seront exemptés de toute réclamation, quelle qu'elle soit, qui résultera des activités liées à la conduite de l'Opération ; toutefois, l'OTAN traitera les réclamations.

18. L'OTAN sera autorisée à traiter directement l'acquisition de biens, services et construction auprès de toute source à l'intérieur et à l'extérieur de la RFY. Ces contrats, biens, services et construction ne seront pas soumis au paiement de droits, impôts et autres frais. L'Otan peut aussi procéder à des travaux de construction avec ses propres personnels. [...]

21. Dans la mise en œuvre de ses prérogatives, sous ce chapitre, l'OTAN est autorisée à détenir des individus et, aussi vite que possible, à les remettre aux autorités concernées. [...]

http://www.state.gov/www/regions/eur/ksvo_rambouillet_text.html

COMMENTAIRE

En mars 1999, la Serbie a accepté la plupart des exigences de Rambouillet, en dehors de la présence de l'OTAN, mais acceptant celle de l'ONU. En présentant l'annexe B tenue secrète, les États-Unis font en sorte de rendre le texte inacceptable. Les Serbes, soutenus par les Russes refusent alors de signer ce texte. Henry Kissinger, dans un texte publié par le *Daily Telegraph*, le 28 juin 1999, juge ces accords de la manière suivante : « Le texte de Rambouillet, qui appela la Serbie à admettre les troupes de l'OTAN partout en Yougoslavie fut une provocation, une excuse pour commencer à bombarder. Rambouillet n'est pas un document que même un Serbe angélique aurait pu accepter. Ce fut un document diplomatique terrible qui n'aurait jamais dû être présenté sous cette forme. »

Après 75 jours de bombardement, les Serbes obtiendront ce qu'ils ont demandé en mars, à savoir un mandat de l'ONU et la résolution 1244 garantissant la souveraineté serbe sur le Kosovo. De la même manière que les bombardements sur la Serbie se sont faits au mépris du droit international et de l'ONU, la résolution 1244 sera finalement ignorée par les États-Unis et les pays de l'OTAN.

Bien que le droit international et la souveraineté de la Serbie soient ouvertement bafoués, la Russie n'intervient pas pour différentes raisons.

L'économie russe est encore en crise après le krach de 1998. Elle dépend beaucoup de l'aide occidentale.

Autour de Boris Eltsine se trouvent des conseillers pour lesquels la place diplomatique de la Russie et ses alliances traditionnelles n'ont aucune importance.

Le seul partisan du soutien à la Serbie est le Premier ministre Evguéni Primakov, qui tente une mission de conciliation à Belgrade le 30 mars. Ce dernier s'est en même temps lancé dans un combat sans merci contre la corruption. Les oligarques profitent de cette occasion pour obtenir sa démission auprès du président russe très affaibli.

Au lieu de soutenir la Serbie, la diplomatie russe, par l'entremise de Viktor Tchernomyrdine, obtient la capitulation du gouvernement serbe le 28 mai. Bien qu'il apparaisse au bout de 78 jours de bombardement et 25 000 sorties aériennes que le potentiel militaire serbe n'a pas été touché.

Milosevic n'est pas considéré comme un allié proche de la Russie. Ses liens avec les États-Unis, alors qu'il était un jeune apparatchik et qu'il travaillait pour la banque américano-yougoslave « Beobank », ont rendu les Russes méfiants. Jusqu'à la crise du Kosovo, il s'est montré très conciliant avec les intérêts américains dans les Balkans, que ce soit pendant l'épuration ethnique de la Krajina ou les accords de Dayton.

CONCLUSION

Les négociations puis les accords de Rambouillet marquent donc une victoire incontestable des États-Unis, tempérée par le fait que l'annexe B, qui avait été refusé par les Serbes et les Russes le 18 mars, n'est plus à l'ordre du jour. Après 75 jours de bombardement, les Serbes obtiendront ainsi, ce qu'ils ont demandé en mars à Rambouillet, à savoir un mandat de l'ONU et la résolution 1244 garantissant la souveraineté serbe sur le Kosovo. De la même manière que les bombardements sur la Serbie se sont faits au mépris du droit international et de l'ONU, la résolution 1244 sera finalement ignorée par les États-Unis et les pays de l'OTAN en 2008, lorsqu'ils reconnaîtront l'indépendance de la province serbe.

L'opération « force alliée » marque en même temps un apogée de la puissance anglo-saxonne, qui ne réunira plus jamais les mêmes conditions au cours de ses guerres futures. Les États-Unis sont en effet capables de mener l'ensemble du bloc occidental dans une guerre contre un pays européen, en toute illégalité du point de vue du droit international, et sans qu'aucune décision du conseil de sécurité de l'ONU ne soit venue entériner cette opération. En 2003, les États-Unis seront incapables de reproduire cette prouesse diplomatique, l'absence de légitimité internationale nuira profondément à l'image de la politique américaine dans le monde.

PROPOSITION DE PLAN

La Russie et la crise du Kosovo

INTRODUCTION

I. LE REFOULEMENT DE LA RUSSIE D'EUROPE
A. La politique américaine en Europe
1. Les fondements idéologiques
2. Kozyrev et le repli russe
B. Le retour du « *Drang nach Ostern* »
1. Permanence de la géopolitique allemande
2. De la réunification à l'alliance avec la Turquie
C. Le repli russe
1. Un exécutif en crise
2. Une économie sous perfusion

II. LE TOURNANT DE 1999 : DÉCLIN ET REDRESSEMENT
A. Les Balkans sans la Russie
1. Milosevic l'Américain
2. La Russie sous influence

CONCLUSION

L'accession de Vladimir Poutine au pouvoir

INTÉRÊT

L'arrivée de Vladimir Poutine marque un tournant extraordinaire dans l'histoire de la Russie contemporaine. Il signifie le retour général de l'État russe dans son espace géographique propre et sur la scène internationale. Il correspond également au début du redressement de l'économie russe et d'une maîtrise du Centre sur l'ensemble du pays.

La situation économique de la Russie à la fin 1999 est en effet en voie de stabilisation. Elle bénéficie de l'action du gouvernement Primakov et des effets « vertueux » de la crise de 1998.

Le gouvernement Primakov, en menant une politique monétaire rigoureuse, a été salvateur pour l'économie russe en évitant une spirale inflationniste, en permettant aux entreprises de bénéficier de la dévaluation du rouble et en clarifiant la distinction entre entreprises illiquides, pouvant fonctionner avec un apport en trésorerie et entreprises insolvables, vouées à la faillite. Le bilan négatif du ministère Primakov est l'absence de lancement de réformes structurelles sérieuses. L'éviction de l'incorruptible ministre sous la pression des oligarques, l'a empêché de continuer la réforme économique du pays.

Le contexte général est celui d'une volonté populaire du rétablissement de l'ordre, à laquelle avait su répondre Primakov. En outre Boris Eltsine semble prendre conscience de la mainmise abusive des oligarques sur le pays et de la volonté impériale anglo-saxonne.

CONTEXTE

La Russie ou s'installe Vladimir Poutine est donc en pleine convalescence après le défaut d'août 1998. Si la crise a permis un assainissement de l'économie, aucune réforme structurelle n'a été entreprise et les problèmes de fond sont toujours les mêmes. Avec la remontée des prix du pétrole, la Russie est un État pauvre dans un pays riche. En juin 1999, la situation économique est la suivante :

– tous les secteurs de la production industrielle sont repartis à la hausse. L'indice global est positif en mars et en avril avec respectivement 1,4 % et 1,5 %. Ce rebond est principalement dû à une sensible amélioration de la compétitivité des produits russes, qui ont non seulement repris des parts sur le marché national, mais ont également été rendus compétitifs à l'exportation. La chute du rouble a été un véritable ballon d'oxygène pour le secteur industriel en crise depuis la chute de l'URSS. Cette reprise de la production industrielle s'est faite sur la réactivation du patrimoine industriel soviétique, ce qui constitue une solution efficace à court terme, mais représente un risque de stagnation à long terme sans investissements significatifs. L'industrie russe connaît là son dernier rebond important. Avec la destruction du système bancaire et la contraction des flux financiers étrangers, les entreprises en sont réduites à l'autofinancement. La consommation est également faible avec une baisse de 19 % d'une année sur l'autre ;

- les gains de compétitivité obtenus grâce à la dévaluation ne semblent pas être destinés à une modernisation de l'appareil productif russe. Les entreprises post-soviétiques se contentent de pousser au maximum leur outil vieillissant pour honorer l'afflux de commandes ;

- les Russes ont largement fait appel à leur « matelas de dollars » pour maintenir leur niveau de consommation tandis que le revenu réel de la population a connu une baisse de 28 % au mois de février 1999 ;

- les réformes structurelles de fond n'ont pas été entreprises ou progressent beaucoup trop lentement, que ce soit les procédures sur les faillites ou la rationalisation du système fiscal.

Les dysfonctionnements structurels de l'économie russe sont au nombre de trois :

- le premier problème concerne la gouvernance d'entreprise. Le fonctionnement du système des privatisations a engendré des comportements fondés sur l'évasion fiscale et la prédation des actifs. Les procédures de faillite sont souvent utilisées pour provoquer des transferts d'actifs frauduleux. Le manque de garantie du droit de propriété fait que les actionnaires minoritaires peuvent se voir déposséder de leurs actifs dans le cadre d'une augmentation de capital ;

- le second problème concerne la faiblesse des incitations microéconomiques. L'État russe est au centre d'un cercle vicieux. L'inefficacité de son système fiscal grève largement les recettes qui lui sont pourtant nécessaires pour mener une politique de modernisation du pays. Faute de ces revenus, il est incapable de tenir le minimum de ses engagements, ce qui provoque une évasion fiscale généralisée, qui contribue elle-même à la chute des investissements. L'État est ainsi contraint à négocier en permanence avec les quelques grands contribuables qui contrôlent les ressources naturelles, affaiblissant encore son autorité ;

- le troisième concerne la faiblesse des ressources destinées à financer le développement. La crise de 1998 a entraîné une baisse du crédit en Russie. Les trois banques qui émergent à cette époque, Sberbank, VTB et la Banque Internationale de Moscou, n'ont ni la taille critique, ni la compétence pour financer les projets à long terme. En outre la capitalisation boursière a été divisée par cinq, à moins de $20 milliards, soit 10 % du PIB, ce qui limite l'accès au marché pour le financement des entreprises. À cela s'est ajouté le retrait d'investissements étrangers particulièrement nécessaires pour permettre les transferts de technologie indispensables à la modernisation de l'économie.

DOCUMENT

Lettre de Vladimir Poutine, « La Russie au tournant du millénaire », 30 décembre 1999

 [...] Premièrement, la Russie n'est pas aujourd'hui un État représentant les meilleurs standards en matière de développement économique et social. Ensuite, elle fait face à des problèmes économiques et sociaux. Son PIB a presque diminué de moitié dans les années 1990, et son PNB est dix fois inférieur à celui des États-Unis et cinq fois inférieur à celui de la Chine. Après la crise de 1998, le PIB par habitant est descendu brutalement à 3 500 dollars, ce qui est largement cinq fois inférieur à la moyenne des pays du G7.

La structure de l'économie russe a changé, avec les postes clés détenus par l'industrie des combustibles, de l'énergie, et la métallurgie des métaux ferreux et non ferreux. Ils comptent pour 15 % du PIB, 50 % de notre production industrielle et plus de 70 % de nos exportations.

La productivité dans le secteur économique réel est extrêmement basse. Elle atteint la moyenne mondiale dans la production de matières premières et d'électricité, mais est inférieure de 20 à 24 % de la moyenne américaine dans les autres industries.

Les normes techniques et technologiques des produits finis dépendent en grande partie de la part de l'équipement vieux de moins de cinq ans. Cette part est passée de 29 % en 1990 à 4,5 % en 1998. Plus de 70 % de nos machines et de nos matériels ont plus de dix ans, ce qui est plus de deux fois la proportion des pays économiquement développés. [...]

Le manque d'investissements en capital et l'ouverture insuffisante aux innovations ont entraîné une chute spectaculaire de la production de produits compétitifs dans le monde, en termes de rapport qualité-prix. Les concurrents étrangers ont repoussé la Russie loin en arrière dans le domaine des produits civils à haute valeur ajoutée. La Russie représente moins de 1 % de ces produits sur le marché mondial, tandis que les États-Unis en fournissent 36 % et le Japon 30 %.

Les revenus réels de la population sont en baisse depuis le début des réformes. La chute la plus importante a été enregistrée après la crise d'août 1998, et il sera impossible de restaurer cette année le niveau de vie d'avant cette crise. La totalité des revenus monétaires de la population, calculée par les méthodes de l'ONU, atteint moins de 10 % du chiffre des États-Unis. La santé et la durée de vie moyenne, les indicateurs qui déterminent la qualité de vie, se sont détériorées également.

L'actuelle situation économique et sociale dramatique dans le pays est le prix que nous avons à payer pour l'économie dont nous avons hérité de l'Union soviétique. Mais alors, de quoi d'autre pourrions-nous hériter ? Nous avons dû installer des éléments de marché dans un système fondé sur des normes complètement différentes, avec une structure énorme et déformée. Ce n'est pas sans conséquences sur l'État d'avancement des réformes. Nous avons dû payer pour la concentration excessive de l'économie soviétique sur le développement du secteur des matières premières et les industries de défense, qui ont affecté négativement le développement de la production des produits de consommation et des services. Nous payons pour la négligence soviétique de secteurs clés tels que l'information scientifique, l'électronique et les communications. Pour l'absence de concurrence entre les producteurs et les industries, ce qui a entravé les progrès scientifiques et technologiques et a rendu l'économie russe non compétitive sur les marchés mondiaux. C'est notre rançon pour les freins, et même l'interdiction, de l'initiative et de l'entreprenariat. Et aujourd'hui, nous récoltons les fruits amers, à la fois matériels et mentaux, des dernières décennies. [...]

COMMENTAIRE

Ce texte marque une rupture dans la communication des dirigeants russes post-soviétiques. C'est la première fois qu'un dirigeant au pouvoir fait une analyse réaliste, factuelle et sans concession de la situation politico-économique de la Russie. Le ton adopté pour ce discours sera repris tout au long des deux mandats, jusqu'au discours de février 2008, où Vladimir Poutine, sur le point de laisser sa place à Dimitri Medvedev dresse de nouveau un constat préoccupant sur la situation du pays.

V. Poutine ne se contente pas d'un constat alarmant. Il s'entoure d'un groupe d'économistes et de gestionnaires pour préparer un programme de réformes très ambitieux. Le programme dont il est question, est issu d'un décret signé par Vladimir Poutine, alors Premier ministre, le 1er décembre 1999. Le décret 2021 ordonne la création d'un programme stratégique pour le développement économique à long terme de la Russie. Pour préparer ce programme, est mis en place le Centre de développement stratégique (Tsentr Strategicheskykh Razrabotok), dont la direction est confiée à German Greff, qui devient Ministre du Développement économique sous la première Présidence Poutine. Dans le cadre de l'élaboration de ce programme, le centre demande à tous les ministères de fournir de nombreux éléments détaillés et concis. Le contenu de ce rapport est également strictement encadré quant à la répartition des sujets : 7,5 % seront consacrés à l'analyse de chaque secteur, 7,5 % à l'analyse de l'impact global des réformes sur chaque secteur, 5 % pour l'évaluation du coût des réformes pour chaque secteur, 10 % pour le détail des lois et des mesures réglementaires nécessaires à l'application des réformes, etc.

Le document final est intitulé « Axes fondamentaux dans la politique économique et sociale du gouvernement de la Fédération de Russie sur le long terme » et il est présenté au conseil des ministres fin juin 2000. Il est « adopté dans sa globalité », selon la formule retenue à l'époque. Il était prévu que ce document prenne le statut de décret et même de loi fédérale, mais ce ne fut jamais le cas. Beaucoup de fonctionnaires craignaient en réalité d'avoir un programme trop contraignant à appliquer.

Parmi les principaux rédacteurs du programme, on retrouve de nombreux économistes qui occuperont plus tard de hautes responsabilités gouvernementales (A. Dvorkovich, O. Vyugin, M. Dmitriev, E. Nabyullina, A. Ulukaev, D. Mezentse) ainsi que des universitaires (E. Iasine, V. Mau, A. Illarionov, I. Kuzminov, V. Ivanter, E. Gavrilenkov, etc.).

CONCLUSION

Ce programme constitue la vraie base des réformes qui débutent dès l'arrivée au pouvoir de Vladimir Poutine, d'abord comme président par intérim puis comme président élu. Le programme est appliqué partiellement, surtout lors du premier mandat de Vladimir Poutine. Sa conception, antérieure à la nomination de Vladimir Poutine en tant que président par intérim, ainsi que sa projection sur une période de dix années confirme la stratégie à long terme de prise et de conservation du pouvoir par le nouvel homme fort de la Russie.

PROPOSITION DE PLAN

La démission de Boris Eltsine et l'accession de Vladimir Poutine à la présidence

INTRODUCTION

I. LA RUSSIE AU BORD DU GOUFFRE
   A. Une présidence à bout de souffle
      1. Le pouvoir oligarchique
      2. Le renvoi de Primakov
   2. Le déclassement international
      1. La progression de l'OTAN
      2. La crise kosovare
   C. Le plan de découpage américain
      1. Les fondamentaux de la géopolitique anglo-saxonne
      2. La stratégie pétrolière américaine

II. LE SURSAUT DE BORIS ELTSINE
   A. L'arrivée au pouvoir de Vladimir Poutine
      1. Poutine et les réformateurs
      2. Poutine et le KGB

CONCLUSION

Mise en place du nouveau code fiscal russe

INTÉRÊT

Les réformes lancées par Vladimir Poutine dès son accession au pouvoir permettent à l'économie russe de tirer pleinement parti de la dévaluation du rouble et de la remontée des prix des matières première jusqu'à la crise de 2008. Après une décennie de réformes incomplètes, brutales, éparses et inefficaces, il s'agit de continuer la transition vers une économie de marché moderne, c'est-à-dire de réglementer sans paralyser l'activité. Sans les réformes qui sont entreprises dès 2000, l'économie russe serait restée structurellement instable et en faillite.

CONTEXTE

L'ère Poutine commence immédiatement par de profondes réformes structurelles dont la mise en place est facilitée par trois facteurs importants. Le premier et le plus important est la stabilité politique, qui a fait défaut à la Russie depuis 10 ans. Eltsine avait en permanence à tenir compte d'une Douma hostile et de l'influence forte des communistes. Il fut en outre rapidement phagocyté par les oligarques, qui obtinrent à plusieurs reprises le départ de ministres gênant, contribuant ainsi largement à l'inefficacité du pouvoir politique. La Douma dont dispose Vladimir Poutine est largement recomposée et docile vis-à-vis des réformes entreprises. La stabilité politique bénéficie également et largement de la réforme de l'administration des régions et de la mise au pas des oligarques.

Le second facteur est la stabilisation macro-économique opérée par le gouvernement Primakov de septembre 1998 à mai 1999, date à laquelle, Boris Bérézovsky obtient la tête du Premier ministre réformateur. L'augmentation sensible du prix des hydrocarbures est le troisième facteur favorable. Il apporte à la Russie, l'oxygène qui permet au nouveau président de mener de manière assez sereine ces réformes, bénéficiant en outre de la forte dévaluation du rouble, conséquence du krach de 1998.

Ces réformes économiques se font parallèlement à la mise en place d'une gestion rigoureuse des finances de l'État. Durant toute la période qui suit les réformes, la Russie dégage systématiquement un excédent budgétaire, réduit sa dette extérieure à un niveau inférieur à celle des pays occidentaux et augmente considérablement ses réserves de change. L'économie russe se remonétarise progressivement, le rouble remplaçant finalement le dollar comme monnaie de référence.

Les réformes que met en place Vladimir Poutine sont d'inspiration libérale et ont été élaborées par le Centre de développement stratégique, qui s'inspire largement des préconisations des institutions financières internationales.

Le succès de ces réformes est incontestable, notamment en ce qui concerne la « révolution fiscale », qui fut la première d'entre elles. À la suite de la crise de 1998, c'est en effet la réforme la plus urgente, car depuis 10 ans, la faiblesse de l'État et de l'économie russe est liée à son incapacité à s'assurer des revenus suffisants. En outre la fiscalité complexe qui sévit décourage l'entreprenariat.

Répartition de la taxation (en % du PIB)

	1995	2000	2001	2002	2003
Recettes fiscales totales	34,58	33,9	33,9	34,3	32,9
Impôt sur les bénéfices	8,2	5,5	5,7	4,3	4
IRPP	2,6	2,4	2,8	3,3	3,4
TVA	6,7	6,3	7,1	6,9	6,6
Accises	1,7	2,3	2,7	2,4	2,6
Impôt sur les ventes	–	0,5	0,5	0,5	0,4
Taxes sur ressources naturelles	0,9	1,1	1,5	3,1	3
Taxes à l'importation	0,6	0,9	1,2	1,2	1,2
Taxes à l'exportation	1,1	2,3	2,5	1,8	2,2
Revenus fonds budgétaires	1,3	2,8	1,3	0,9	0,4
Impôt social unifié	8	7,7	6,7	7,6	7,2

Rapartition de la taxation en comparaison internationale (%)

	recettes fiscales (% du PIB)	IRPP	impôt sur les bénéfices	contraintes sociales	taxes sur les biens et services	autres
Russie (2003)	32,9	10	12	22	41	15
Hongrie	39,2	17	6	33	40	3
République Tchèque	40,4	13	10	38	33	7
Pologne	35,2	23	7	28	38	4
Slovaquie	35,3	13	8	33	34	13
États-Unis	28,9	41	8	23	16	12
Japon	26,2	19	13	34	20	15
moyenne UE	37,3	26	9	24	30	12
moyenne OCDE	41,6	26	9	22	32	11

1er janvier 2001 : Mise en place du nouveau code fiscal russe

Évolution de la taxation effective de quelques grands groupes

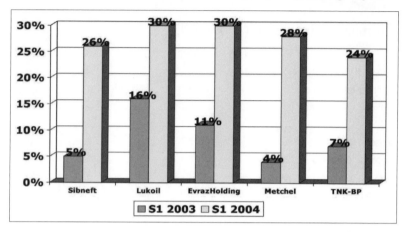

source : Camden Partners.

La réforme du nouveau code fiscal repose sur quatre piliers :

– diminution générale des taux d'impositions ;

– suppression des impositions contre-productives ;

– suppression des nombreuses niches et privilèges.

– refonte des principes guidant la répartition des recettes au sein de la Fédération de Russie.

La réforme fiscale se déroule sur trois ans de 2001 à 2003. Trois mesures sont immédiatement introduites en 2001 :

– mise en place du taux unique de 13 % pour l'impôt sur le revenu, qui offre à la Russie une attractivité digne d'un « paradis fiscal ». Ce taux permet de doubler la recette de l'impôt entre 2000 et 2002. L'impôt sur le revenu passe de 2,5 % du PIB en 2000 à 3,3 % en 2003 ;

- mise en place d'une échelle régressive pour l'impôt social unique, qui permet la « légalisation » partielle d'une partie des salaires. Les contributions sociales passent ainsi à 7 % du PIB contre 16 % au sein de l'Union européenne ;
- diminution des différents impôts sur le chiffre d'affaires de 4 à 1 %.

En 2002, de nouvelles mesures sont prises :

- abaissement de l'impôt sur les sociétés de 35 à 24 % ;
- suppression des exemptions fiscales ;
- mise en place d'une taxe unique pour les ressources naturelles qui repose sur leur exploitation. Cette dernière mesure augmente de manière considérable la fiscalité sur les compagnies exploitant les ressources naturelles, et ainsi leur part dans les revenus de l'État russe.

En 2003, la réforme est bouclée par les mesures suivantes :

- suppression des dernières taxes sur le chiffre d'affaires ;
- suppression de la taxe de 1 % sur l'achat de devises étrangères ;
- rationalisation de la fiscalité des PME.

Ces réformes correspondent en fait à un allégement et à une rationalisation de l'imposition, visant à mettre fin à l'évasion fiscale. L'effet est radical sur l'économie russe, la pression fiscale passe de 45 % du PIB en 1997 à 35 % soit 10 % de moins que la moyenne européenne. Ces réformes ont permis une rentrée massive d'argent pour l'État fédéral, qui a permis au gouvernement russe de mettre fin aux arriérés de paiement, améliorant ainsi sa notation souveraine par les agences de notations. Sans ces réformes, l'État russe n'aurait pas pu profiter de l'augmentation du prix des matières premières qui se poursuit entre 2000 et 2008. Prudemment, la Russie profite des excédents budgétaires pour créer une réserve qui aboutit en 2004 à la mise en place d'un fond de stabilisation.

Parallèlement à la réforme fiscale, le gouvernement russe a également entrepris de réformer le système des retraites, dont l'inefficience avait fait basculer dans l'extrême pauvreté 38 millions de retraités, habitués à une prise en charge totale par l'État socialiste soviétique. La baisse du nombre d'actifs et la désagrégation de l'État ont provoqué une baisse sensible des retraites, jusqu'à $36 par mois, bien inférieur au minimum vital.

Le gouvernement de Vladimir Poutine met donc en place une réforme radicale qui mêle les systèmes de retraite par répartition, héritée de l'ancien système, et par capitalisation. Le système par répartition, financé par les contributions sociales des entreprises, reste largement majoritaire tandis que les fonds animant les capitaux disponibles restent très limités dans leurs investissements. Le financement à long terme de l'économie russe reste donc toujours très dépendant des rentes pétrolières. Malgré ces limites, depuis cette réforme, les retraites des Russes ont toujours été versées.

La réforme foncière qui vise à garantir la propriété de la terre est également à mettre au crédit du nouveau président. Le nouveau code foncier est adopté le 1er juillet 2002. Cette réforme permet à l'agriculture russe, désormais exportatrice (depuis 2001) de commencer à exploiter son potentiel considérable. Cette réforme permet de définitivement mettre fin à 80 années de pénuries socialistes.

Pour éviter que ne se reproduise la catastrophe financière de 1998, l'administration Poutine tâche également de rationaliser le système financier russe. Le gouvernement Poutine lance ainsi un début de réforme bancaire, en adoptant les lois dites « FMI », pour régler les activités des banques. Il s'agit essentiellement d'un renforcement des règles prudentielles et de la supervision des banques commerciales. Cette réforme a également facilité l'accès au crédit des entreprises et des particuliers et a permis l'installation de grandes banques étrangères. Elle reste toutefois inachevée dans certains domaines comme la garantie des dépôts ou le relèvement des seuils de capitalisation.

D'autres réformes ont eu des résultats plus nuancés notamment celles sur les monopoles naturels, particulièrement sur la distribution et la production de l'électricité. La réforme du « Système Énergétique Unifié » ne s'achève qu'en 2008.

CONCLUSION

En assainissant la relation entre le privé et le public, les réformes structurelles du premier mandat Poutine ont été une tentative de mettre fin à une des sources de corruption particulièrement handicapante pour l'économie russe. C'est dans ce cadre que le gouvernement russe a simplifié l'enregistrement des sociétés et limité les inspections administratives. Cela a favorisé les petites et moyennes entreprises, dont le dynamisme a dépassé celui de la production industrielle.

Ces réformes sont d'incontestables réussites, mais elles ne suffisent pas à assainir complètement la situation de l'économie russe, dont une partie importante continue de fuir le fisc. En outre certains domaines comme la mise en place d'un système de banqueroute pour les entreprises, la Constitution d'un système bancaire moderne, d'institutions financières capable de drainer l'épargne du pays pour l'injecter dans des investissements à long terme, n'ont pas été encore abordés.

La limitation du poids de l'État, de la bureaucratie et du nombre de fonctionnaires continue de se faire progressivement jusqu'à aujourd'hui et tous ces thèmes sont encore repris par le président Medvedev.

PROPOSITION DE PLAN

2001 La réforme fiscale

INTRODUCTION

I. UNE RÉFORME URGENTE
   A. Le contexte économique en 2000
      1. Les effets bénéfiques de la crise
      2. Une situation économique toujours fragile
   B. Les défauts du système fiscal des années 1990
      1. Les profits épargnés au détriment des revenus
      2. Système inégalitaire et administration inefficace

Création du traité de sécurité collective

INTÉRÊT

Le Traité de Sécurité Collective possède une double signification. D'une part, il recrée une alliance militaire autour de la Russie, qui depuis la fin du pacte de Varsovie était jusque-là restée en dehors de tout système d'alliance, tandis que l'OTAN intégrait peu à peu les pays d'Europe de l'Est. D'autre part, cette alliance politico-militaire est nettement tournée vers la sphère asiatique de la Russie, puisque les pays d'Asie y sont majoritaires. Il s'agit donc pour la Russie de reconstituer sa sphère d'influence dans son étranger proche. Cette alliance militaire marque de manière générale le retour de la Russie comme puissance politico-militaire eurasiatique majeure. Poutine inaugure parallèlement une politique énergétique très ambitieuse contrecarrant ainsi les projets américains en Asie centrale et dans le Caucase.

Le traité de sécurité collective est le troisième acte fort de la Présidence Poutine dans le cadre du retour de l'influence russe sur la scène internationale et dans son étranger proche. Ce traité est précédé par la création de la communauté économique eurasiatique en octobre 2000 et par le traité de l'organisation de la coopération de Shanghai en juin 2001. Il est suivi d'autres accords comme l'Union douanière avec le Kazakhstan et la Biélorussie. Ces différents traités permettent à la Russie, en se présentant comme une puissance eurasiatique de contrebalancer la politique de « refoulement » inaugurée par les États-Unis dès les années 1990. Cette démarche positive qui voit la signature de plusieurs traités s'accompagne d'une dénonciation de plus en plus virulente de l'imperium américain, qui culmine lors du discours de Munich de février 2007.

DOCUMENT 1

Charte de l'organisation du traité de sécurité collective (extraits)

Les États parties au Traité de sécurité collective du 15 mai 1992 (ci-après appelé « le Traité ».

[...]

CHAPITRE II. BUTS ET PRINCIPES

Article 3

Les buts de l'organisation sont de renforcer la paix, la sécurité et la stabilité internationales et régionales et de défendre collectivement l'indépendance, l'intégrité territoriale et la souveraineté des États membres, buts que les États membres s'efforcent d'atteindre avant tout par des moyens politiques.

Article 4

Dans l'exercice de ses compétences, l'organisation coopère avec les États non-membres et entretient des relations avec les organisations internationales intergouvernementales qui œuvrent dans le domaine de la sécurité. Elle contribue à l'élaboration d'un ordre mondial juste et démocratique, fondé sur les principes généralement acceptés du droit international. [...]

Article 7

Aux fins de réaliser les buts de l'organisation, les États membres prennent conjointement des mesures en vue de mettre en place un système de sécurité collective efficace, de créer des groupements de forces régionaux et les organes nécessaires pour les diriger, de mettre en place des infrastructures militaires, de former des cadres et des spécialistes pour les forces armées et de fournir à ces dernières l'armement et le matériel qui leur sont nécessaires. [...]

Les États membres unissent et coordonnent leurs efforts afin de lutter contre le terrorisme et l'extrémisme internationaux, le trafic illicite de stupéfiants, de substances psychotropes et d'armes, la criminalité transnationale organisée, les migrations illégales et autres menaces à leur sécurité.

Ils agissent à cette fin en étroite collaboration avec tous les États intéressés et toutes les organisations internationales intergouvernementales compétentes, compte dûment tenu du rôle prépondérant de l'Organisation des Nations unies. [...]

Article II

Les organes de l'organisation sont les suivants :

a) Le Conseil de la sécurité collective (ci-après appelé « le Conseil ») ;

b) Le Conseil des ministres des affaires étrangères (ci-après appelé "le CMAE") ;

c) Le Conseil des ministres de la défense (ci-après appelé « le CMD ») ;

d) Le Comité des secrétaires des conseils de sécurité (ci-après appelé « le CSCS »).

L'organe de travail permanent de l'organisation est le secrétariat de l'organisation (ci-après appelé « le secrétariat »).

Les compétences et le fonctionnement des organes susmentionnés sont régis par la présente charte ainsi que par les dispositions qu'adopte le Conseil. [...]

Le siège du secrétariat est à Moscou (Fédération de Russie). Les questions liées à l'établissement du siège du secrétariat sur le territoire de la Fédération de Russie sont réglées dans l'Accord international conclu à cette fin. [...]

Article 28

La langue officielle et la langue de travail de l'organisation sont le russe. »

La volonté de l'État russe de rester influant dans la zone, qui est non seulement l'espace géographique de l'Union soviétique, mais également celle de l'expansion de l'empire russe avant la révolution, est une constante de la Russie depuis la chute de l'Union soviétique. En décembre 1991, tandis que l'Ukraine de Kravtchouk est pressée de quitter l'Union, Boris Eltsine parvient à mettre sur pied la Communauté des États Indépendants, censé maintenir un semblant d'union entre les ex-Républiques soviétiques non baltes. Pendant les dix années qui suivent l'effondrement de l'URSS, la CEI fonctionne mal, la plupart des anciennes Républiques contestent la légitimité d'une Russie affaiblie, comme puissance dominante. Les conflits bilatéraux entre la Russie et l'Ukraine ou la Russie et la Géorgie provoquent même l'apparition d'une organisation concurrente pro-otanienne, le GUAM, regroupant la Géorgie, l'Ukraine, l'Azerbaïdjan et la Moldavie.

Contestée dans le Caucase et dans la partie occidentale de ses frontières, la Russie réussit à maintenir à la fin des années 1990 une certaine influence en Asie centrale et une forte relation bilatérale avec la Biélorussie.

Dès son accession au pouvoir, Vladimir Poutine ne cache pas sa volonté de renforcer l'influence russe dans son étranger proche en développant les volets à la fois économiques et sécuritaires. En octobre 2000, la première pierre de ce nouveau système d'intégration eurasiatique est posée par la création de l'*Eurasec*, la communauté économique eurasiatique (L'*Eurasec* regroupe à différents niveaux d'intégration : Biélorussie, Russie, Kazakhstan, Tadjikistan, Kirghizistan, Ouzbékistan (État membre auto-suspendu), Arménie (État observateur), Ukraine (État observateur), Moldavie). Le but de cet organisme est de créer un espace économique intégré sur le modèle de l'Union européenne.

À ce pilier économique que constitue l'Eurasec, s'est ajouté en octobre 2002, un pilier politico-militaire que constitue l'OTSC, l'organisation du traité de sécurité collective. L'OTSC regroupe la Russie, la Biélorussie, l'Arménie, le Kazakhstan, le Kirghizstan, l'Ouzbékistan, le

Tadjikistan. La Russie se dote, avec cette organisation, d'une structure comparable à l'OTAN dans son organisation. Sa charte rappelle les fondements de la politique étrangère russe :

- Respect de la souveraineté des États ;

- Rôle prédominant attribué à l'ONU ;

- Respect absolu du droit international, tel qu'il existe depuis la fin de la Seconde Guerre mondiale.

La charte encadre le retour de forces armées russes dans les anciennes Républiques d'URSS. Elle garantit ainsi le maintien de la Russie en Asie centrale, où les États-Unis tentent de se positionner durablement, profitant de la guerre en Afghanistan.

Les objectifs de l'OTSC sont proches de ceux de l'OTAN en garantissant la protection des frontières de ses membres et en s'engageant dans la lutte contre le terrorisme et le crime organisé. En outre deux pays observateurs de première importance souhaitent adhérer à l'organisation, l'Iran et la Serbie.

En février 2009, l'OTSC s'est doté d'une force d'intervention rapide, basée en Russie et sous commandement russe. Des exercices conjoints ont été organisés en 2010 en Russie.

DOCUMENT 2

Discours de Vladimir Poutine à la 43ᵉ conférence sur la sécurité de Munich, 10 février 2007

 Madame la chancelière fédérale, Monsieur Teltschik, Mesdames, Messieurs, [...]

Le format de conférence me permet d'éviter les formules de politesse superflues et de recourir aux clichés diplomatiques aussi agréables à entendre que vides de sens. Le format de la conférence me permet de dire ce que je pense des problèmes de la sécurité internationale et, si mes jugements vous semblent inutilement polémiques ou même imprécis, je vous demande de ne pas m'en vouloir. [...]

Le monde unipolaire proposé après la guerre froide ne s'est pas non plus réalisé. Certes, l'histoire de l'humanité a connu des périodes d'unipolarité et d'aspiration à la domination mondiale. L'histoire de l'humanité en a vu de toutes sortes. Qu'est-ce qu'un monde unipolaire ? Malgré toutes les tentatives d'embellir ce terme, il ne signifie en pratique qu'une seule chose : c'est un seul centre de pouvoir, un seul centre de force et un seul centre de décision. C'est le monde d'un unique maître, d'un unique souverain. En fin de compte, cela est fatal à tous ceux qui se trouvent au sein de ce système aussi bien qu'au souverain lui-même, qui se détruira de l'intérieur. [...]

J'estime que le modèle unipolaire n'est pas seulement inadmissible pour le monde contemporain, mais qu'il est même tout à fait impossible. Non seulement parce que, dans les conditions d'un leader unique, le monde contemporain (je tiens à le souligner : contemporain) manquera de ressources militaro-politiques et économiques. Mais, et c'est encore plus important, ce modèle est inefficace, car il ne peut en aucun cas reposer sur la base morale et éthique de la civilisation contemporaine. [...]

Les actions unilatérales, souvent illégitimes, n'ont réglé aucun problème. Bien plus, elles ont entraîné de nouvelles tragédies humaines et de nouveaux foyers de tension. [...] Nous sommes en présence de l'emploi hypertrophié, sans aucune entrave, de la force – militaire – dans les affaires internationales, qui plonge le monde dans un abîme de conflits successifs. Par conséquent, aucun des conflits ne peut être réglé dans son ensemble. Et leur règlement politique devient également impossible.

Nous sommes témoins d'un mépris de plus en plus grand des principes fondamentaux du droit international. Bien plus, certaines normes et, en fait, presque tout le système du droit d'un seul État, avant tout, bien entendu, des États-Unis, a débordé de ses frontières nationales dans tous les domaines : dans l'économie, la politique et dans la sphère humanitaire, et est imposé à d'autres États. À qui cela peut-il convenir ? [...]

Je suis certain que la Charte des Nations unies est l'unique mécanisme d'adoption de décisions sur l'emploi de la force en tant que dernier recours. [...]

Il est évident, je pense, que l'élargissement de l'OTAN n'a rien à voir avec la modernisation de l'alliance, ni avec la sécurité en Europe. Au contraire, c'est un facteur représentant une provocation sérieuse et abaissant le niveau de la confiance mutuelle. Nous sommes légitimement en droit de demander ouvertement contre qui cet élargissement est opéré. Que sont devenues les assurances données par nos partenaires occidentaux après la dissolution du Pacte de Varsovie ? Où sont ces assurances ? On l'a oublié. [...]

On essaie de transformer l'OSCE en instrument vulgaire au service des intérêts politiques extérieurs d'un seul pays ou d'un groupe de pays à l'égard d'autres États. Et c'est pour cette tâche, que l'on a aussi « montée de toutes pièces » l'appareil bureaucratique de l'OSCE qui n'est nullement lié aux États fondateurs. On a « monté de toutes pièces » pour cette tâche également les procédures d'adoption des décisions et d'utilisation des fameuses « organisations non gouvernementales (ONG) ». Formellement, il s'agit effectivement d'organisations indépendantes, mais financées rationnellement et, par conséquent, contrôlées. [...]

COMMENTAIRE

Le discours de Munich est certainement le plus emblématique de Vladimir Poutine en matière de politique internationale. Il met définitivement fin à la période de passivité qui avait prévalu pendant l'ère Eltsine. Les États-Unis ont en effet bénéficié d'une totale liberté d'action, qui a culminé avec le bombardement de la Serbie, qui, bien qu'effectué contre le droit international, put avoir lieu sans objection majeure de la Russie.

Dans ce discours, Vladimir Poutine dénonce ainsi une unipolarité qui paradoxalement n'existe de fait déjà plus, en raison des cuisants revers de l'armée américaine en Afghanistan ou en Irak. Les États-Unis ont perdu de fait, dès cette époque leur statut de puissance mondiale. La chute brutale de l'économie américaine en septembre 2008, achève son déclassement.

Vladimir Poutine reprend les fondements de la politique étrangère russe et rappelle avec vigueur les promesses non tenues de l'Occident en ce qui concerne l'extension de l'OTAN. La volonté de faire de l'OSCE un organe fondateur d'une nouvelle architecture de sécurité collective, et non pas un organe d'influence occidental est affirmée une nouvelle fois, comme elle l'avait été au début des années 1990, lorsque la CSCE était au cœur des propositions russes pour une nouvelle architecture de défense européenne. Cet organisme, devenu l'OSCE à partir de 1995, est en même temps devenu un vecteur de l'influence américaine en Europe de l'Est, particulièrement dans les Balkans. Vladimir Poutine critique l'utilisation de l'OSCE par les États-Unis comme un organe de déstabilisation en Europe. Ce fut particulièrement le cas lors de la campagne de l'OTAN contre la Serbie, alors que l'OSCE au Kosovo était dirigée par William Walker. Ce dernier mit en scène le pseudo-massacre de Racak, qui entraina le déclenchement des bombardements de l'OTAN sur la Serbie. Devant la faiblesse du dossier, le TPY, par la décision de la chambre de première instance du 11 juillet 2006, renonça finalement à utiliser le pseudo-massacre comme une charge contre les neuf officiels serbes accusés de crimes de guerre.

L'unilatéralisme américain se manifeste également par la volonté d'installer un bouclier antimissile en Europe à la frontière de la Russie. Le projet d'un bouclier antimissiles apparaît aux États-Unis au début des années 1960 avec le « Sentinel Program », abandonné en 1976. Il revient ensuite dans la doctrine militaire américaine, le 23 mars 1983, lorsque Ronald Reagan prononce son discours sur l'initiative de défense stratégique (IDS). Ce discours remet en cause la course aux armements traditionnelle, qui consistait à accumuler un nombre considérable de vecteurs, avec des charges atomiques de plus en plus puissantes. Il donne le bon rôle à l'administration américaine qui, en cherchant désormais à se protéger de la menace nucléaire, passe d'une position offensive à défensive. Ronald Reagan propose même à Mikhaïl Gorbatchev de lui transférer la technologie. L'IDS ne sort jamais des cartons, mais les Soviétiques se laissent piéger dans cette course aux armements d'un nouveau genre, qui achève de ruiner une économie socialiste en phase terminale.

En décembre 2002, George W. Bush tente de reprendre cette initiative à son compte dans le double objectif de refaire pression sur la Russie et de satisfaire les industries d'armement américaines. La donne est cependant différente à plus d'un titre. Le nouveau bouclier antimissile américain a, cette fois, une existence bien réelle. Il ne s'agit plus d'envoyer des satellites tueurs de missiles dans l'espace, mais de dresser un maillage terrestre, composé de radars et de missiles antimissiles. Des éléments de ce système doivent être installés en Pologne et en Tchéquie. Ce système n'a aucune chance de contrer la menace nucléaire qu'elle soit russe ou chinoise. Il lui faudrait pouvoir arrêter à coup sûr tous les vecteurs tirés. Il suffit, en effet, que quelques-uns des missiles mégatonniques échappent au bouclier pour que les grandes villes américaines soient vitrifiées. Il est toujours plus facile de lancer dix missiles que d'en intercepter un. Le projet, désormais hors de portée des finances américaines est abandonné par le président Obama en septembre 2009. Le projet est repris en 2010 sous une autre forme. Il ne s'agit plus cette fois de mettre au point un nouveau matériel révolutionnaire, mais d'installer des batteries de matériels existants déjà, en Europe de l'Est. Cette évolution traduit le fait que le but de l'administration américaine est la militarisation de l'Europe de l'Est, en y installant son matériel et ses troupes. La problématique pour les États-Unis n'a pas changé depuis 1991 ; maintenir absolument l'OTAN bien que la raison d'être de l'alliance ait disparu depuis 20 ans.

Parallèlement à ce retour dans son étranger proche, la Russie s'efforce de prendre place dans des structures régionales plus vastes, principalement avec l'OCS (l'Organisation de coopération de Shanghai signe un accord en mai 2007 avec l'OTSC), mais aussi avec les pays musulmans, n'hésitant pas à se présenter elle-même comme un pays musulman.

L'organisation de coopération de Shanghai se rapproche de l'OTSC par la présence de la Chine. L'organisation trouve son origine en 1996, alors que les anciennes Républiques soviétiques limitrophes de la Chine souhaitent s'entendre avec cette dernière pour résoudre les différends frontaliers issus de la guerre froide. Pour la Chine il s'agit également de garantir sa frontière de la très instable région du Xinjiang. L'intérêt pour la Russie est que cette alliance contribue à la rapprocher de la Chine, qui occupe une place privilégie dans sa politique de rééquilibrage de l'influence américaine, et qui contribue à sa stratégie énergétique en devenant un client alternatif à l'Europe, pour ce qui concerne les exportations d'hydrocarbure. La Russie signe en 2004, un traité pour mettre fin aux querelles frontalières, puis en juillet 2010, un traité d'amitié pour le développement des régions frontalières. En janvier 2011, la Chine et la Russie ont inauguré un oléoduc reliant l'est de la Sibérie à la ville chinoise de Daqing. La Russie devrait ainsi augmenter son exportation pétrolière annuelle destinée à la Chine à 15 millions de tonnes. La relation avec la Chine reste cependant délicate à gérer, dans la mesure où cette dernière est de plus en plus présente en Asie centrale et deviendra à terme, un concurrent pour les exportations d'armements.

CONCLUSION

La politique de rapprochement avec l'Europe reste pour la Russie un objectif essentiel et pourtant celui ou elle rencontre un succès assez mitigé. De la situation de repli héritée de l'ère Eltsine, la Russie a su se rapprocher des deux puissances majeures européennes, la France et l'Allemagne. Elle s'efforce de contenir la militarisation de l'Europe de l'Est et l'expansion de l'OTAN, en neutralisant les ONG américaines et en développant une politique énergétique qui vise à intégrer l'Europe dans un espace énergétique commun. C'est tout l'enjeu des deux projets de pipeline au sud de l'Europe, South Stream pour les Russes, Nabucco pour les États-Unis. Parallèlement à cette stratégie énergétique, la Russie tente de reprendre le thème gorbatchévien de nouvelle architecture de sécurité en Europe. C'est le sens des 12 propositions de Dimitri Medvedev en novembre 2009, dont le but est de faire reposer la sécurité européenne en priorité sur les pays européens et pas extra-européens, ce qui est clairement dirigé contre l'hégémonie américaine en Europe.

Le retour de la Russie sur la scène internationale

INTRODUCTION

I. LA RUSSIE, PUISSANCE EURASIATIQUE
   A. La création de l'OTSC
      1. Le retour dans l'étranger proche
      2. Impact d'un élargissement potentiel (Iran, Serbie...)
   B. La Russie et l'Orient
      1. L'héritage soviétique au Moyen-Orient
      2. Permanence géostratégique en Extrême-Orient
   C. La relation bilatérale sino-russe
      1. L'entente cordiale
      2. Le traité de coopération de Shanghai

II. LE RETOUR DE LA RUSSIE EN EUROPE
   A. La fin de l'illusion occidentale
      1. L'expansion de l'OTAN
      2. Le discours de Berlin
   B. Stratégies européennes
      1. Stratégie énergétique
      2. La réconciliation russo-polonaise
   C. L'échec des révolutions colorées
      1. La fin de la parenthèse orange en Ukraine
      2. La fin du modèle occidental

CONCLUSION

Arrestation de Mikhaïl Khodorkovsky

INTÉRÊT

La soumission des oligarques russes est une des deux grandes réformes politiques avec celle des régions. L'arrestation de Mikhaïl Khodorkovsky achève cette mise au pas, commencée en juillet 2000 par Vladimir Poutine. Plus aucun homme d'affaires russe ne tentera désormais de s'opposer au pouvoir du gouvernement russe légitime.

CONTEXTE

Dans la période qui suit la chute de l'Union soviétique et l'avènement de la Fédération de Russie, le grand révolutionnaire, Boris Eltsine, s'avère être un bien piètre gestionnaire. L'anarchie qui commence à régner sur le pays dès le début des réformes libérales de 1985 de Mikhaïl Gorbatchev, prend des proportions incontrôlables. La première vague des privatisations et de la libéralisation des prix entraîne une misère générale dans le pays. Les retraites ne sont plus payées, les salaires ne sont plus versés. Profitant de cette période trouble, des hommes d'affaires audacieux commencent à accumuler des fortunes importantes grâce à divers trafics de biens de consommations comme des ordinateurs ou des vêtements, le trafic de devises ou encore la participation au pillage des bénéfices des sociétés d'État responsables de la dette extérieure ou du commerce des matières premières.

En 1995, l'État russe est au bord de la faillite. Pour le renflouer, l'un des hommes d'affaires les plus puissants de l'époque, Vladimir Potanine, propose de mettre en place le système connu sous le nom de « prêts contre actions ». Il s'agit de gager l'argent que les banquiers vont prêter à l'État russe sur le fleuron de la propriété d'État, à savoir les sociétés publiques de matières premières principalement. C'est ainsi qu'une poignée d'hommes d'affaires s'empare des actifs les plus rentables de l'économie russe. La banque MENATEP de Mikhaïl Khodorkovsky acquiert ainsi pour 300 millions de dollars les actifs de Yukos, qui seront estimés en 2003 à 35 milliards de dollars.

La construction de ces empires industrialo-financiers ne se fait pas sans violence. Les luttes entre les différents clans prennent souvent la forme de règlements de comptes mafieux, où sont mêlés des bandits, des hommes d'affaires et de hauts fonctionnaires fédéraux ou locaux. Le maire de Neftyougansk, ville où se trouve le principal actif de Yukos, et qui exigeait le paiement des taxes par Khodorkovsky, est ainsi assassiné le 26 juin 1998, jour anniversaire de l'oligarque.

En soutenant la réélection de Boris Eltsine en 1996, les oligarques, ainsi désignés par Boris Bérézovsky, son éminence grise, échappent au risque du retour des communistes au pouvoir, ce qui remettrait en cause le fruit de ces privatisations contestées. Ils sont alors à l'apogée de leur pouvoir. La démission surprise de Boris Eltsine, le 31 décembre 1999, les met de nouveau face au danger du retour des communistes. Ils jettent alors leur dévolu sur le jeune Premier ministre de Boris Eltsine, sur lequel ils comptent exercer la même emprise que sur son prédécesseur. À partir de cette époque, certains oligarques s'efforcent de modifier l'image négative que l'Occident a d'eux. Le premier d'entre eux, Mikhaïl Khodorkovsky dépense des dizaines de millions de dollars dans différents instituts pour la démocratie aux États-Unis ou en Russie, sur le modèle américain. L'image de Khodorkovsky passe de celle d'un homme d'affaires sans scrupule (rapport OCDE en 1997 et février 2000), à celle du modèle tant attendu d'entrepreneur russe de demain, libéral et démocrate.

DOCUMENT 1

Extrait du rapport du ministre de l'Intérieur, transmis à Evgueni Primakov à son arrivé au pouvoir (*Au cœur du pouvoir*, p. 351-355)

 L'étendue du pillage des ressources et des biens de l'État a pris des dimensions catastrophiques sans précédent. Selon la Banque de Russie, le flux de devises étrangères transférées à l'étranger représente actuellement entre 1,5 et 2 milliards de dollars américains par mois. [...]

En Russie, les secteurs les plus profitables de l'économie ont été partagés entre divers groupes financiers et industriels étroitement liés au crime organisé, sur fond de corruption croissante des fonctionnaires de l'État et des collectivités locales, ainsi que d'une partie considérable des systèmes judiciaires et policiers.

Les fonctionnaires en charge de la privatisation touchent des pots-de-vin en favorisant certaines personnes pour les appels d'offres et les concours. La valeur des entreprises privatisées est délibérément sous-évaluée. On organise également des faillites programmées qui permettent ensuite de privatiser ces entreprises en les vendant en dessous de leur valeur réelle. Ainsi, pendant la crise, plusieurs banques commerciales ont délibérément provoqué leur propre faillite, ont transféré leurs capitaux à l'étranger et ont ainsi gagné énormément d'argent en jouant sur les fluctuations du cours du rouble. [...]

Les dirigeants de nombreuses administrations et sociétés en actions placent les fonds obtenus illégalement sur leurs comptes bancaires à l'étranger, et achètent des biens immobiliers, des voitures de luxe, des yachts, etc.

Les enquêtes menées sur ces affaires criminelles et certaines données ont permis de recenser les fraudes les plus typiques et les plus rémunératrices, notamment dans les secteurs des matières premières, des ressources énergétiques (extraction, transformation, transport, vente sur les marchés intérieurs et étrangers) ; des transports et des moyens de communications.

Le pillage de grandes quantités de métaux est devenu une activité normale pour les entreprises de métallurgie et de construction mécanique. On constate par exemple que les pays baltes, qui sont pourtant dépourvus de gisement de métaux non ferreux, figurent parmi les principaux exportateurs mondiaux. [...]

Le détournement des investissements et des crédits alloués par l'État au développement et à la restructuration de certaines branches et entreprises industrielles s'est considérablement développé. On a pu le constater avec certitude lors de certains contrôlent effectués dans des mines de charbons, suite à des actions de protestation conduites par des mineurs. Non seulement les fonds publics alloués à ces entreprises n'étaient pas affectés à leur destination prévue, mais les sommes détournées excédaient souvent les arriérés de salaires dus aux mineurs.

DOCUMENT 2

Rencontre entre Vladimir Poutine et les oligarques le 28 juillet 2000

 Le Pouvoir des oligarques touche à sa fin, déclare Poutine.

V. Poutine a rencontré 21 représentants de l'oligarchie russe hier pour leur dire que leur pouvoir politique était terminé. Il a dit aux hommes d'affaires, nombre d'entre eux sont milliardaires, qu'ils ne seraient plus autorisés à exercer une influence sur le Kremlin, mais leur a offert le rameau d'olivier de la conservation des sociétés qu'ils ont obtenues lors des privatisations en Russie. [...]

La petite bande d'hommes d'affaires a amassé de vastes fortunes durant les dix dernières années grâce à leur étroite connexion avec le Kremlin et l'ancien président Eltsine. M. Poutine avait promis de mettre fin aux relations amicales entre les entreprises et le Kremlin, après qu'il a été élu en mars, disant qu'il allait « débarrasser la Russie des oligarques en tant que classe ». Son ouverture des hostilités avait commencé en juin quand le magnat de la presse, Vladimir Goussinsky, fut jeté en prison pour trois jours [...]

Article paru dans *The Telegraph* par Ben Aris, 29 juillet 2000.

Si le mythe de la métamorphose de l'image des oligarques fonctionne bien en Occident, il n'a aucun fondement en Russie. Les oligarques sont et resteront toujours très impopulaires et considérés comme les pillards du patrimoine commun industriel. Conscient de ce rejet, Vladimir Poutine a promis au peuple russe de soumettre cette caste incontrôlable. La véritable surprise en juillet 2000, est qu'il met sa promesse à exécution en imposant de nouvelles règles à respecter, moyennant lesquelles les hommes d'affaires pourront conserver les biens acquis dans les années 1990. Ces règles sont au nombre de quatre :

- payer les impôts ;

- arrêter l'évasion fiscale ;

- réinvestir les profits des sociétés en Russie ;

- enfin et surtout, ne plus faire de politique.

Il s'agit en fait de cesser d'être des oligarques pour n'être plus que des hommes d'affaires.

La plupart des oligarques de l'époque comprennent que les temps ont changé. Quelques-uns n'admettent cependant pas de se faire dicter ces nouvelles lois par un homme quasi-inconnu jusque-là, et dont les plus influents ont conseillé la désignation à Boris Eltsine. Vladimir Goussinsky est ainsi contraint à l'exil, ainsi que son ancien rival, Boris Bérézovsky. Mikhaïl Khodorkovsky refuse de s'incliner, considérant que ses soutiens américains le protègent de toute pression du gouvernement russe. Le Kremlin retient quatre griefs principaux contre Khodokovsky.

- Pour combattre les réformes fiscales, ce dernier soutient les partis politiques d'opposition, des communistes aux libéraux. Il crée une ONG « Russie ouverte », destinée à contrer l'influence grandissante de Vladimir Poutine sur les élites russes. Cela lui vaut, au moment de son arrestation, les soutiens des libéraux des forces de droite, des sociaux-démocrates de Yabloko, et du parti communiste.

- Au moment de son arrestation, Khodorkovsky est en négociation avancée avec Exxon pour un rapprochement entre les deux compagnies. C'est aller directement contre la stratégie énergétique du Kremlin.

- Khodorkovsky s'oppose directement à la stratégie énergétique du Kremlin, avec son projet de pipeline avec la Chine, souhaitant ainsi priver l'État russe du monopole du transport des hydrocarbures.

- Enfin, Vladimir Poutine semble déterminer à punir Mikhaïl Khodorkovsky pour les crimes de sang qui ont été commis dans les années 1990, dans le cadre de la construction de l'empire de Youkos.

CONCLUSION

La chute de Mikhaïl Khodorkovsky marque la fin d'une époque, celle où les oligarques pouvaient faire élire le président de la Fédération et choisir ensuite les ministres de son gouvernement. Elle marque également une défaite de l'Amérique contre la Russie et sans doute la fin de l'illusion outre-Atlantique, que les élites gouvernementales russes peuvent être sensibles aux sirènes occidentales.

La mise au pas de l'oligarchie

INTRODUCTION

I. L'EXÉCUTIF SOUS CONTRÔLE

A. Le système oligarchique en Russie
   1. Les sept banquiers
   2. Les privatisations

B. Eltsine et les oligarques
   1. Les élections de 1996
   2. La crise de 1998

C. Le « choix » de Vladimir Poutine
   1. La peur des communistes
   2. La prise de conscience de Boris Eltsine

II. LA SOUMISSION DES OLIGARQUES

A. La « nouvelle donne » de juillet 2000
   1. Les nouvelles règles
   2. La fuite ou la soumission

B. Khodorkovsky « *primus inter pares* »
   1. L'ami américain
   2. Les trois fautes de Khodorkovsky

C. Vladimir Poutine « souverain » en son domaine
   1. Khodorkovsky impuissant
   2. La fin des oligarques

CONCLUSION

Loi sur la nomination des gouverneurs

INTÉRÊT

Cette loi est l'achèvement de la mise en place des instruments législatifs permettant au pouvoir central de reprendre le contrôle des régions. Elle met fin à un cycle de réformes qui a commencé le 13 mai 2000, par la mise en place des sept districts fédéraux.

La réforme des régions s'inscrit dans la volonté de reprise en main de l'administration des territoires de la Russie, mise à mal à l'époque Eltsine. Cette loi est suivie le 19 juin 2005 par le décret limitant l'autonomie des régions.

CONTEXTE

L'époque d'Eltsine fut celle où ce dernier recommandait « de prendre le plus de souveraineté possible ». Elle se caractérisait aussi par une volonté américaine de dissoudre la Russie et de la diviser en trois parties indépendantes.

La Russie est sortie victorieuse de la dernière guerre de Tchétchénie, et le président Poutine a choisi d'appuyer sa politique sur un des clans les plus puissants de la région, le clan Kadyrov. Cette normalisation s'inscrit également dans une reprise en main plus générale des régions, grâce à une réforme administrative globale.

DOCUMENTS

Carte des sujets de la Fédérations de Russie

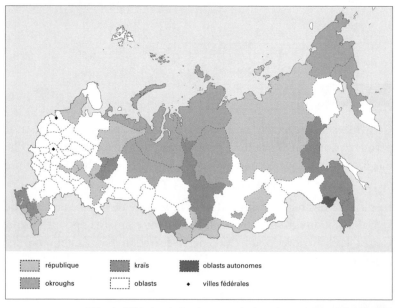

N.B. : La Fédération de Russie est passée de 89 à 86 sujets le Ier janvier 2007.

Carte des districts fédéraux de mai 2000

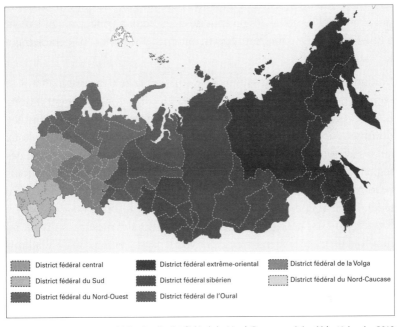

District fédéral central	District fédéral extrême-oriental	District fédéral de la Volga
District fédéral du Sud	District fédéral sibérien	District fédéral du Nord-Caucase
District fédéral du Nord-Ouest	District fédéral de l'Oural	

N.B. : Le district fédéral du Nord-Caucase a été créé le 19 janvier 2010 par le président Dimitri Medvedev, qui place Alexandre Khloponine à sa tête.

COMMENTAIRE

C'est dans la réforme des régions que s'inscrit le terme désormais fameux de « dictature de la loi ». Cette « dictature » vise à mettre fin aux mauvaises pratiques anticonstitutionnelles qui ont pris naissance sous l'ère Eltsine. L'une des caractéristiques de Boris Eltsine fut son rejet épidermique du communisme. Parmi les tares du régime, il considérait la centralisation bureaucratique comme une des pires. C'est dans cet esprit qu'il invite tous les sujets de la Fédération à prendre toutes les libertés qu'ils veulent. Cet engagement a rapidement des conséquences qui dépassent largement ce à quoi Etsine pensait. Les potentats locaux qui s'installent et qui contrôlent la moitié des revenus de la Fédération l'obligent rapidement à une politique de compromis permanent, affaiblissant considérablement le pouvoir central.

Valdimir Poutine se trouve dans une situation favorable au lendemain de son élection. Il possède le soutien de la Douma, contrairement à Boris Eltsine, qui devait constamment prendre en compte une assemblée dominée par les communistes ou les ultra-nationalistes, ce qui explique aussi sa volonté de contrebalancer le pouvoir de la Douma par celui des régions. Avec cette nouvelle chambre, Vladimir Poutine a beaucoup moins besoin de composer avec les potentats régionaux et s'attaque donc à ce fédéralisme à géométrie variable, pour reprendre le terme de Jean-Robert Raviot, où chaque région négociait un statut sur mesure, souvent au moyen d'un traité bilatéral avec le pouvoir fédéral. L'entreprise de Vladimir Poutine vise dans un premier temps à tempérer le pouvoir des régions, car il est évident en 2000, que la reprise en main définitive s'étendra sur plusieurs années au fur et à mesure du renforcement de l'arsenal législatif fédéral.

Moins de deux mois après son accession au pouvoir, le 13 mai 2000, Vladimir Poutine, signe le décret instituant les représentants plénipoten-tiaires du président (« Polpred ») dans sept districts nouvellement créés (proches des districts militaires). Ces « missi dominici » sont chargés de contrôler le travail des gouverneurs et des présidents des Républiques de la Fédération. L'influence de ces hauts fonctionnaires dépend beaucoup de la puissance de leur contrepartie régionale, mais dans l'ensemble, la politique du pouvoir central est efficace et les lois locales se soumettent assez rapidement à la « dictature de la loi Constitutionnelle » de la Fédération de Russie. Quant aux administrations locales, elles rentrent dans un processus de soumission hiérarchique au Kremlin, de « verticalité du pouvoir », qui ne s'achèvera pour les sujets les plus récalcitrants qu'au début des années 2010.

Les « missi dominici », dont la plupart sont issus des structures de forces n'exercent donc pas une influence importante directe sur les pouvoirs locaux, en revanche, ils sont les vecteurs de la soumission du droit local au droit fédéral. Ils constituent de plus, comme le souligne très justement Jean-Robert Raviot, une source d'information de premier ordre sur ce qui se passe exactement dans ces régions éloignées.

L'institution des représentants plénipotentiaires est en fait une première étape. D'autres lois sont votées qui limitent indirectement l'emprise des gouverneurs. En 2001, la loi sur les partis, interdit l'existence des partis régionaux, en 2002, l'introduction de la proportionnelle à deux tours pour l'élection au conseil de la Fédération, réduit le poids des partis des gouverneurs. En octobre 2003, est votée la « loi Kozak » qui délimite clairement les compétences fédérales, régionales et locales. En outre la réforme fiscale diminue les ressources des régions au profit de l'État fédéral dans une proportion de 60/40 %. Ce processus aboutit en 2004 à une reprise en main encore plus nette qu'autorisent désormais les réformes Constitutionnelles grâce à la majorité des deux tiers obtenue à la Douma.

La loi sur la nomination des gouverneurs du 3 décembre 2004 renforce une disposition de celle du 29 juillet 2000, qui autorisait, sous certaines conditions très restrictives, le président de la Fédération à destituer les gouverneurs. Le président russe propose désormais une liste de noms de gouverneurs potentiels, liste qui ne peut porter qu'un seul nom. C'est donc la fin de l'élection au suffrage universel pour les gouverneurs et également le renforcement du rôle et du pouvoir des représentants plénipotentiaires.

Le cas d'Édouard Rossel

L'un des exemples les plus caractéristiques de cette politique de long terme est le sort de la riche région de l'Oblast de Sverdlosk dans la partie centrale de l'Oural. À partir de 1991, le gouverneur de l'Oblast est Édouard Rossel. Il est membre, à l'époque soviétique, du comité régional du parti communiste de Sverdlovsk et dirige l'oblast pendant deux ans avant la chute de l'Union soviétique. Il entre souvent en conflit avec Eltsine, en raison de ses velléités autonomistes. À la fin des années 1990, il contrôle les appareils administratifs et la presse dans cet oblast qu'il gère comme un seigneur en son domaine. Il vit très mal l'arrivée du représentant plénipotentiaire de Vladimir Poutine, le Général Piotr Latychev, qui réussit à prendre une influence certaine dans la région. Édouard Rossel l'emporte cependant aux élections de 2003. C'est la loi sur la nomination des gouverneurs qui l'oblige à se soumettre au Kremlin, en adhérant à « Russie Unie » en octobre 2004. C'est Dimitri Medvedev qui achève la reprise en main de l'oblast de Sverdlovsk en automne 2009 en nommant à sa tête Alexander Misharin.

Conseil de la Fédération

Le Conseil de la Fédération est l'organe représentatif des Sujets de la Fédération, eux-mêmes issus du découpage soviétique de la Russie, le plus souvent sur des bases ethniques. Il fut mis en place par la Constitution de 1993 par Boris Eltsine. Chaque sujet de la Fédération envoie deux représentants, l'un issu de l'organe législatif, l'autre de l'organe exécutif.

De 1996 à 2000, les gouverneurs ont siégé de plein droit au conseil de la Fédération, ce qui cesse en août 2000 au nom de la séparation des pouvoirs. Depuis 2000, les gouverneurs et les membres du conseil sont dépourvus d'immunité.

La chambre haute intervient dans les questions financières, budget fédéral, impôts et taxes, sur les grandes questions internationales, guerres, traités, modifications de frontières, sur la nomination des juges Constitutionnels, de la Cour Suprême, du Procureur.

CONCLUSION

La réforme des régions est une des plus importantes de l'ère Poutine. Elle met fin à la perspective d'une explosion de la Fédération. La verticalité du pouvoir et la « dictature de la loi » correspondent en fait à une application stricte de la Constitution sur tout le territoire russe. Ces réformes ne résolvent cependant pas les problèmes des déséquilibres régionaux entre des régions très riches et très pauvres, surpeuplées ou sous-peuplées avec six statuts différents. Elles ne résolvent pas non plus les problèmes d'instabilité dans le Caucase, dont les répercussions se font douloureusement sentir jusqu'à Moscou.

PROPOSITION DE PLAN

Le retour de l'état en Russie

INTRODUCTION

I. DES RÉGIONS LIVRÉES À ELLES-MÊMES
   A. La liberté selon Eltsine
      1. La dissolution de l'État soviétique
      2. L'apparition des potentats locaux
   B. De la décentralisation à l'éclatement
      1. L'indépendance de fait des régions
      2. Les séparatismes.
   C. Moscou et le désert russe
      1. Le déséquilibre économique
      2. Le déficit des réseaux de communication

II. UNE RÉFORME VITALE POUR L'ÉTAT
   A. La fin des potentats
      1. La reprise en main progressive des régions
      2. Le renvoi de Youri Loujkov
   2. La fin des séparatismes?
      1. La résolution du conflit tchétchène
      2. Du nationalisme à l'islamisme
   C. Le développement régional
      1. L'enjeu du développement régional
      2. Les jeux Olympiques de Sotchi

CONCLUSION

10 DÉCEMBRE 2007

Déclaration de candidature de Dimitri Medvedev

INTÉRÊT

Le respect de la Constitution par le président sortant et la désignation d'un réformateur comme candidat du parti présidentiel « Russie Unie », démontrent que l'élite au pouvoir maintient son ambition de fixer pour la Russie une politique sur le long terme et de maintenir la modernisation de l'économie russe, vers une économie de marché plus performante. Dimitri Medvedev est l'homme des dossiers difficiles et de la modernisation. C'est à lui que sont confiées en 2005, les missions prioritaires pour la Russie, notamment la plus importante qui concerne le redressement de la démographie.

CONTEXTE

Vladimir Poutine bénéficie d'une popularité exceptionnelle en Russie et beaucoup d'observateurs s'attendent à le voir modifier la Constitution pour briguer un troisième mandat. Il choisit pourtant un de ses fidèles, ancien élève d'Anatoli Sobchak, Dimitri Medvedev. Ce dernier bénéficiant de la popularité de son prédécesseur, sera largement élu dès le premier tour avec 70 % des suffrages. Son choix de prendre Vladimir Poutine comme Premier ministre inscrit la présidence de Dimitri Medvedev dans la succession de celle de son prédécesseur. Le nouveau président prend ses fonctions en 2008 dans une perspective mondiale imprévisible, particulièrement dans le domaine économique. Il est rapidement contraint à donner la priorité à la résolution de la nouvelle crise plutôt qu'à la poursuite des réformes.

DOCUMENT 1

Extraits du discours du président Poutine du 8 février 2008 (bilan des deux mandats de Vladimir Poutine et d'une présentation de la stratégie du gouvernement russe pour 2020)

 Notre principale réalisation est la stabilité. Nous avons établi la confiance que la vie s'améliorera pour mieux. [...]

Nous avons efficacement travaillé sur la création d'un solide système politique. Nous avons été capables de nous débarrasser de cette pratique de prendre des décisions d'État sous la pratique des groupes financiers et des magnats de la presse. [...]

Aujourd'hui, nous avons déjà complètement restauré l'État de développement socio-économique que nous avions perdu dans les années 1990. [...] Nous modernisons toujours notre économie de manière très fragmentée. [...] L'économie russe est encore très inefficace. [...]Des mois sont nécessaires pour lancer sa propre affaire. Il faut se rendre partout avec un pot-de-vin : chez les pompiers, les services sanitaires, les gynécologues. C'est l'horreur ! [...]

Si on suit un scénario d'inertie, nous ne pourrons garantir ni la sécurité du pays ni son développement normal. Nous mettrons en péril son existence même.

Discours de Dimitri Medvedev du 10 septembre 2009 : « Go Russia ! »

 [...] Tout d'abord, nous allons répondre à une question simple mais très grave. Une économie primitive basée sur les matières premières et une corruption endémique, peut-elle nous accompagner dans l'avenir ? [...] La crise économique mondiale a montré que nos affaires sont loin d'être dans le meilleur État possible. Vingt ans de changements tumultueux n'ont pas éloigné notre pays de sa dépendance humiliante vis-à-vis des matières premières. Notre économie actuelle reflète toujours le défaut majeur du système soviétique : elle ignore en grande partie les besoins individuels. À quelques exceptions près, les entreprises nationales n'innovent pas, ni ne créer les choses nécessaires et la technologie dont les gens ont besoin. Nous vendons des choses que nous n'avons pas transformées, les matières premières ou des marchandises importées. Les produits finis fabriqués en Russie sont en grande partie victime de leur compétitivité extrêmement faible.

C'est pourquoi la production a baissé beaucoup plus que dans d'autres économies, au cours de la crise actuelle. Cela explique aussi l'excessive volatilité des marchés boursiers. Tout cela prouve que nous n'avons pas fait tout ce que nous aurions dû les années précédentes. Et nous sommes loin d'avoir fait toutes les choses correctement. [...]

Les institutions démocratiques dans leur ensemble ont été établies et stabilisées, mais leur qualité est loin d'être idéale. La société civile est faible, les niveaux d'auto-organisation et d'auto-administration sont faibles.

Chaque année il y a de moins en moins de Russes. L'alcoolisme, le tabagisme, les accidents de la circulation, le manque de disponibilité de nombreuses technologies médicales, ainsi que les problèmes environnementaux prennent des millions de vies. La hausse apparente des naissances n'a pas compensé la baisse de notre population. [...]

Pour résumer, une économie inefficace, une sphère sociale semi-soviétique, une démocratie fragile, des tendances démographiques négatives, et un Caucase instable représentent de très gros problèmes, même pour un pays comme la Russie.

Bien sûr, nous n'avons pas besoin d'exagérer. Beaucoup a déjà été fait, la Russie est en marche. Ce n'est plus un pays à demi-paralysée, fonctionnant à moitié comme il l'était, il y a dix ans. Tous les systèmes sociaux fonctionnent. Mais

10 décembre 2007 : Déclaration de candidature de Dimitri Medvedev

ce n'est pas encore assez. Après tout, ces systèmes ne font que prolonger le modèle actuel, il ne le développe pas. Ils ne peuvent pas modifier les modes de vie actuels et les habitudes restent donc mauvaises. [...]

J'ai récemment identifié cinq axes stratégiques pour la modernisation économique de notre pays. Tout d'abord, nous allons devenir un pays leader en matière d'efficacité de la production, du transport et de l'utilisation de l'énergie. Nous allons développer de nouveaux carburants pour les marchés nationaux et internationaux. Deuxièmement, nous devrons maintenir et améliorer notre technologie nucléaire à un niveau qualitativement nouveau. Troisièmement, les experts russes amélioreront les technologies de l'information et influenceront fortement le développement des réseaux mondiaux de données publiques, en utilisant des superordinateurs et autres équipements nécessaires. Quatrièmement, nous allons développer nos propres infrastructures terrestres et spatiales pour le transfert de tous les types d'informations ; nos satellites seront ainsi en mesure d'observer le monde entier, d'aider nos citoyens et les gens de tous les pays à communiquer, à voyager, à s'engager dans la recherche, les productions agricoles et industrielles. Cinquièmement, la Russie aura une position de leader dans la production de certains types de matériels médicaux, des outils sophistiqués de diagnostic, des médicaments pour le traitement des maladies virales, des maladies cardiovasculaires et neurologiques et du cancer. [...]

COMMENTAIRE

Ces deux discours à quelques mois d'intervalle des deux présidents russes traduisent la continuation par Dimitri Medvedev de la politique mise en œuvre par son prédécesseur. Ils dressent un constat sans concession sur la partie la plus préoccupante de la situation de la Russie, qui est son développement économique, entravé par les lourdeurs administratives et le manque d'efficacité de la lutte contre la corruption. Le ton grave et pessimiste de ces discours respecte la forme donnée par Vladimir Poutine tout au long de ses deux mandats, inauguré par le discours sur « La Russie à l'aube du troisième millénaire ». L'héritage politique que laisse Vladimir Poutine à Dimitri Medvedev est loin d'être négligeable :

Reconstruction de l'État. Les lois fédérales sont désormais appliquées dans toute la Russie. Les lois locales inconstitutionnelles ont été abrogées.

Le système fiscal a été profondément modernisé, et l'impôt rentre désormais de manière régulière et planifiée.

Les oligarques ont disparu. Plus aucun homme en Russie, aussi grande soit sa fortune, n'est plus en mesure de choisir les dirigeants de la Fédération.

Bien que le Caucase reste une zone fortement instable, régulièrement secouée par des attentats terroristes, la question des séparatismes est largement jugulée pour le moment.

Du point de vue international, la Russie occupe de nouveau une place centrale dans le concert des nations. Elle a réussi à reprendre place dans son étranger proche, écartant la menace d'une intégration de l'Ukraine ou de la Géorgie dans l'OTAN. En outre, elle bénéficie de l'essoufflement des révolutions colorées et du déclassement américain sur la scène internationale.

Cette politique de réformes globales a eu de nombreux résultats positifs, mais n'a été accomplie que pour partie. Le centre de développement stratégique qui a mis au point ce programme au début de l'année 2000 en dresse d'ailleurs un bilan sans concessions 10 ans après, dans un document de 75 pages, intitule « Stratégie 2010, bilan des réalisations après 10 ans ». Dans l'ensemble, le centre estime que le programme a été réalisé à 36 %. 39 % pour ce qui est de la modernisation de l'économie, 39 % pour la réforme de l'État et 31 % pour la réforme de la sphère sociale.

La crise économique de septembre 2008 est en cela particulièrement révélatrice des forces et des faiblesses de l'économie russe. La principale faiblesse ici mise en exergue est l'absence d'un système bancaire efficace et donc la nécessité pour les agents économiques russes, de s'endetter dans des institutions bancaires internationales et en devises étrangères. C'est cette faiblesse qui éclate en 2008, alors que les Russes se croient à l'abri d'une crise qui paraît être purement américaine. Le retrait massif des capitaux internationaux et la non-reconduction par les banques étrangères des crédits aux entreprises russes amènent le système au bord de la faillite. Ce qui est remis en cause au moment de la crise, c'est le fait que le ministère des finances russes préfère placer les confortables revenus générés par les hydrocarbures dans des banques étrangères, plutôt que de les injecter directement dans l'économie russe. Les sociétés russes réempruntent en quelque sorte au prix fort, l'argent que l'État russe a placé à l'étranger. Cela peut être de plus interprété, comme un manque de confiance de son propre État en son économie.

Pourtant la crise de 2008 est contenue et bien gérée par l'équipe en place. Cela est dû à diverses raisons qui prouvent l'évolution positive de la Russie.

Le gouvernement s'est créé durant les huit dernières années, plus de $600 milliards de réserves de change et dispose d'un fond de stabilisation de $60 milliards. Ces sommes sont utilisées efficacement sous le contrôle du Premier ministre et la Russie nationalise ainsi la dette de ses entreprises et leur permet de se refinancer. Deux ans après cette crise, les entreprises et les banques retiennent la leçon et s'endettent désormais en roubles dans des institutions bancaires russes.

La réaction de la population russe a également été un facteur de surprise. Tandis qu'en 1998, les banques avaient été littéralement prises d'assaut, ce genre de débordement n'aura quasiment jamais lieu en 2008. Grâce à l'épargne accumulée, la consommation reste un moteur important de l'économie jusqu'en mars 2009. Pour les entreprises, la crise est aussi un moyen de mettre fin à l'inflation des salaires, notamment à Moscou, ou ces dernières doivent de plus en plus se contenter d'une main-d'œuvre aux compétences très moyennes pour des salaires hors de proportion.

La guerre des cinq jours

INTÉRÊT

La guerre des 5 jours marque la fin de l'expansion américaine dans l'étranger proche de la Russie. Elle marque également la fin de la perception des États-Unis comme un allié fiable. Entre août et septembre 2008, les États-Unis montrent qu'ils sont incapables de soutenir ni leur système bancaire, ni leur principal allié dans le Caucase. À la défaite militaire humiliante d'une armée entièrement formée sur le modèle américain, s'ajoute la perte définitive de l'ascendant moral que l'Occident a pu tirer de sa victoire sur le communisme. Le « deux poids deux mesures » dénoncé par Vladimir Poutine à Berlin en 2007, s'illustre de manière flagrante en août 2008. La mission de l'Union européenne finit d'ailleurs, par donner raison à la Russie en septembre 2009. Ce conflit est également l'occasion pour le nouveau président, Dimitri Medvedev, d'apparaître sur la scène internationale. Celui que les puissances occidentales aimeraient voir comme un interlocuteur plus conciliant se révèle à ce moment un chef d'État réaliste et ferme.

Le président géorgien Mikhaïl Saakachvili est arrivé au pouvoir en janvier 2004 à l'occasion d'une révolution colorée, organisée par les services secrets américains et soutenue financièrement par Boris Bérézovsky, l'oligarque en fuite à Londres. Mikhaïl Saakachvili a mis en place un Régime policier, dont l'essentiel des ressources est consacré à la constitution d'une armée sur le modèle américain. En dehors de la capitale, Tbilissi, le reste de la Géorgie vit très pauvrement. Mikhaïl Saakachvili conserve une certaine popularité en promettant le retour des Républiques perdues dans les conflits qui ont suivi la dissolution de l'URSS. Il met victorieusement la main sur l'Adjarie en 2004, dans le sud du pays. En 2008, la situation économique de la Géorgie continue de s'aggraver, tandis que la perspective d'un changement d'administration aux États-Unis, le pousse à intervenir rapidement contre l'Ossétie du Sud dans un premier temps. La sous-estimation de la volonté et de la capacité militaire russe dans le Caucase, le fait se lancer dans une aventure militaire contre son puissant voisin. À son grand désarroi, la riposte russe est immédiate et l'armée géorgienne est mise en déroute en trois jours.

Déclaration du président Dimitri Medvedev le 26 août 2008, au sujet de la reconnaissance de l'indépendance de la Géorgie et de l'Abkhazie

Chers citoyens de Russie ! Vous êtes au courant, sans aucun doute, de la tragédie en Ossétie du Sud. Le pilonnage en pleine nuit de Tskhinvali par les forces géorgiennes a provoqué la mort de centaines de nos civils. Des membres des forces russes de maintien de la paix ont péri en effectuant leur devoir pour protéger femmes, enfants et vieillards. La direction géorgienne, en violation des statuts de l'ONU, de ses propres engagements dans les accords internationaux, a déclenché, contre toute raison, un conflit armé dont les victimes ont été les civils. Le même sort attendait l'Abkhazie. Il est évident que Tbilissi comptait sur une Blitzkrieg pour mettre la communauté internationale devant le fait accompli. Le moyen le plus inhumain d'atteindre ce but a été choisi, celui d'annexer l'Ossétie du Sud au prix de l'humiliation de tout un peuple. Ce n'était pas la première tentative. En 1991 le président de la Géorgie (Zviad) Gamsakhourdia avait ordonné l'assaut de Soukhoumi et Tskhinvali sous le mot d'ordre La Géorgie aux Géorgiens. Réfléchissez juste à ces mots. Des milliers de morts, des dizaines de milliers de réfugiés, des villages saccagés, voilà à quoi tout cela mena. La Russie précisément stoppa alors l'extermination des peuples abkhaze et ossète. Notre pays devint un médiateur, une force de paix, visant à un règlement politique, tout en respectant l'intégrité territoriale de la Géorgie. La direction géorgienne a choisi une autre voie. Sabotage des négociations, ignorance des accords acquis, provocations politiques et militaires, agressions contre les forces de maintien de la paix, tout cela a brutalement violé le régime établi dans la zone de conflit avec le soutien de l'ONU et de l'OSCE. La Russie a fait preuve de retenue et de patience. Nous avons plusieurs fois appelé à revenir à la table des pourparlers et n'avons pas trahi notre position, même après la proclamation unilatérale de l'indépendance du Kosovo. Mais nos propositions insistantes adressées à la partie géorgienne, pour conclure, avec l'Abkhazie et l'Ossétie du Sud, un accord sur le non-recours à la force, sont restées sans réponse. Malheureusement, l'Otan et l'ONU en ont également fait fi. C'est aujourd'hui évident : une solution pacifique du conflit n'était pas dans les intentions de Tbilissi. La direction géorgienne se préparait à la guerre, et le soutien politique et matériel de protecteurs extérieurs n'a fait que renforcer la conviction de son impunité. Tbilissi a fait son choix dans la nuit du 7 au 8 août. (Le président géorgien Mikhaïl) Saakachvili a choisi le génocide pour atteindre ses objectifs politiques. Il a ainsi lui-même fait une croix sur tous les espoirs de cohabitation pacifique des Ossètes, Abkhazes et Géorgiens au sein d'un même État. Les peuples d'Ossétie du Sud et d'Abkhazie se sont prononcés plusieurs fois, lors de référendums, pour l'indépendance de leurs Républiques. Nous comprenons qu'après ce qui s'est passé à Tskhinvali et ce qui était planifié en Abkhazie, ils ont le droit de décider eux-mêmes de leur sort. Les présidents de l'Ossétie du Sud et de l'Abkhazie, en se fondant sur les résultats de leurs référendums et sur les résolutions de leurs Parlements, se sont adressés à la Russie en lui demandant de reconnaître la souveraineté Étatique de l'Ossétie du Sud et de l'Abkhazie. Le Conseil de la fédération et la Douma ont voté en faveur de ces demandes. Dans cette situation il est indispensable de prendre une décision. Vu la volonté des peuples ossète et abkhaze, et en me basant sur les statuts de l'ONU, les déclarations de 1970 sur les principes du droit international relatifs aux relations d'amitié entre États, l'Acte final d'Helsinki de l'OSCE de 1975, et sur d'autres textes fonda-mentaux, j'ai signé les décrets de reconnaissance par la Fédération de Russie de l'indépendance de l'Ossétie du Sud et de l'Abkhazie. La Russie appelle les autres États à suivre son exemple. Ce n'est pas un choix facile, mais c'est l'unique option pour préserver la vie des gens.

COMMENTAIRE

Même si la décision de la Russie de reconnaître l'indépendance de l'Abkhazie et de l'Ossétie du Sud n'est guère surprenante au regard du conflit qui vient de se dérouler, elle marque cependant une rupture dans la position russe traditionnelle vis-à-vis du droit international et du respect de la souveraineté des nations. Elle se justifie du côté russe par différents raisonnements, soit juridiques, soit empiriques fondés directement et non sans une certaine ironie, sur l'expérience de l'interventionnisme humanitaire et du devoir d'ingérence revendiqués par l'OTAN depuis le début des années 1990.

Pour la Russie, les indépendances des provinces abkhaze et ossète s'inscrivent dans le processus de dissolution de l'URSS, où chaque peuple avait le droit d'acquérir son indépendance. L'indépendance des deux Républiques correspond donc à un processus enclenché en 1991 au moment de la chute de l'empire soviétique. En principe la Géorgie n'a pas plus de droits sur les Ossètes et les Abkhazes, que les Russes n'en ont sur le peuple géorgien. En invoquant le précédent du Kosovo où la résolution 1244 de l'ONU garantit la souveraineté serbe sur la province, la Russie met les Occidentaux devant leur propre responsabilité et prend acte du fait que, désormais, dans certains cas, la force prime le droit international.

L'ultime argument invoqué par la Russie est également emprunté à la dialectique humanitariste occidentale. L'agression géorgienne est considérée comme une tentative d'épuration ethnique, notamment par l'emploi de l'artillerie lourde sur les zones habitées. La reconnaissance de l'indépendance est donc un moyen pour éviter définitivement la répétition de telles initiatives.

Dans le même temps, la Russie reste mesurée dans sa victoire en ne provoquant pas le départ de Mikhaïl Saakachvili, départ qu'elle aurait pu obtenir en laissant ses forces continuer leur offensive sur Tbilissi. En cela Dimitri Medvedev respecte deux constantes de la politique étrangère russe.

La première de ces constantes consiste en la non intervention dans les affaires intérieures d'un État. La reconnaissance des provinces indépendantistes ne signifie pas pour autant que Moscou entend se substituer aux Géorgiens dans le choix de leurs gouvernants.

La deuxième de ces constantes est le fait que l'armée russe ne reste pas dans un territoire qu'elle ne contrôle pas politiquement. Cette règle non déclarée mais bien réelle, est issue de l'expérience soviétique afghane. Elle avait également provoqué le départ du contingent russe du Kosovo en 2003.

DOCUMENT 2

Extraits du rapport de la mission d'enquête internationale indépendante sur le conflit en Géorgie (Union européenne), 30 septembre 2009

[...] L'ouverture des hostilités a commencé par une opération militaire de grande envergure de la Géorgie contre la ville de Tskhinvali et les régions environnantes, lancée dans la nuit du 7 au 8 août 2008.

Les opérations ont débuté avec une attaque massive de l'artillerie géorgienne. Tout au début de l'opération, le commandant du contingent géorgien des « Joint Peacekeeping Forces (JPKF) », le général de brigade Mamuka Kurashvili, a déclaré que l'opération visait à restaurer l'ordre Constitutionnel dans le territoire de l'Ossétie du Sud. Un peu plus tard, la partie géorgienne a réfuté la déclaration de Mamuka Kurashvili, comme non autorisée, et a invoqué la lutte contre une prétendue invasion russe, comme justification de l'opération. L'information officielle géorgienne transmise à la mission, déclara à ce sujet qu'afin de « protéger la souveraineté et l'intégrité territoriale de la Géorgie ainsi que la sécurité des citoyens de la Géorgie, à 23 h 35 le 7 août, le président de la Géorgie a donné l'ordre de démarrer une opération défensive [...] »

La mission n'est pas en position de considérer comme suffisamment substantiel l'affirmation géorgienne concernant une incursion militaire russe sur une large échelle en Ossétie du Sud avant le 8 août 2008. [...]

La question est de savoir si l'utilisation de la force par la Géorgie en Ossétie du Sud, en commençant par le bombardement de Tskhinvali dans la nuit du 8 et 7 août 2008, est justifiable en vertu du droit international. Elle ne l'est pas. La Géorgie a reconnu que l'interdiction de l'usage de la force était applicable à son conflit en Ossétie du Sud selon les documents internationaux juridiquement contraignant, tels que l'Accord de Sotchi de 1992 ou le mémorandum de 1996 sur les « mesures visant à assurer la sécurité et renforcer la confiance mutuelle entre les parties du conflit Ossétie du Sud-Géorgie. Même en supposant que la Géorgie a repoussé une attaque, par exemple, en réponse à des attaques sud-ossètes contre les 23 villages de la région peuplés de Géorgiens, conformément au droit international, sa réponse armée aurait dû être à la fois nécessaire et proportionnée. Il n'est pas possible d'accepter que le bombardement de Tskhinvali pendant une grande partie de la nuit avec des lance-roquettes multiples GRAD (LRM) et de l'artillerie lourde satisfasse aux exigences d'être nécessaire et proportionné dans le cadre de la défense des villages. Il résulte du caractère illégal de l'assaut de l'armée géorgienne, que l'action défensive en réponse de l'Ossétie du Sud, était conforme au droit international en termes de légitime défense. [...]

Enfin, en ce qui concerne la phase initiale du conflit, une question juridique supplémentaire est de savoir si l'utilisation de la force par la Géorgie contre les forces de paix russes sur le territoire géorgien, c'est-à-dire en Ossétie du Sud, aurait pu se justifier. Encore une fois, la réponse est négative. Il n'y avait pas d'attaque armée en cours par la Russie avant le début de l'opération géorgienne. Les affirmations géorgiennes d'une présence massive des forces armées russes en Ossétie du Sud avant l'offensive géorgienne sur 8 et 7 août n'ont pu être étayées par la mission. Il n'a pas pu également être vérifié que la Russie était sur le point de lancer une telle attaque majeure, en dépit de certains éléments et de l'équipement aient été rendus facilement accessibles.

Il n'y a également aucune preuve pour appuyer les réclamations selon lesquelles les unités de maintien de la paix russes en Sud-Ossétie ont été en violation flagrante de leurs obligations en vertu des accords internationaux en vigueur, tels que l'Accord de Sotchi et auraient pu ainsi perdre leur statut juridique international.

Par conséquent, l'utilisation de la force par la Géorgie contre les forces de paix russes à Tskhinvali dans la nuit du 8 et 7 août 2008 était contraire au droit international. [...].

COMMENTAIRE

Le rapport de la mission européenne est largement ignoré ou simplement passé sous silence dans les pays occidentaux. Il confirme pourtant de manière incontestable, non seulement la légitimité de la riposte russe, dont les soldats sous mandat ONU avaient été attaqués, mais surtout, il confirme la volonté délibérée du pouvoir géorgien de s'en prendre aux populations civiles. L'agression géorgienne contre l'Ossétie achève un processus de perte de légitimité morale de l'Occident. Au début des années 1990, l'engouement russe pour le modèle occidental est incontestable, que ce soit au niveau économique où les recommandations des conseillers américains de l'école de Chicago sont appliquées sans hésitation, où du point de vue culturel avec une volonté de s'adapter le plus rapidement possible à l'« American way of life », que l'on croit connaître grâce à la multiplication des séries américaines sur les écrans russes. Cette confiance souvent naïve est cependant rapidement remise en cause par la volonté expansionniste de l'OTAN et son action unilatérale en ex-Yougoslavie.

La guerre provoquée par M. Saakachvili est la reproduction de l'opération tempête qui avait permis aux forces croates de nettoyer ethniquement la Krajina en août 1995. Plus de 250 000 Serbes avaient ainsi été déplacés en toute impunité, par les forces croates appuyées par l'aviation américaine. La violence de l'attaque avait permis d'effectuer l'opération en quelques jours. En août 2008, la situation est cependant très différente pour l'armée géorgienne. Mikhaïl Saakachvili espère provoquer une dispersion massive de la population ossète, tandis que ses troupes atteindront le tunnel de Roki, seule voie d'accès rapide pour les renforts russes. Une fois la frontière avec la Russie occupée, c'est désormais la Russie qui tiendra le rôle de l'agresseur.

La position du président géorgien est cependant loin d'être aussi solide que celle de Franco Tudjman (Président croate de l'époque). Ce dernier a pu bénéficier du soutien direct de l'armée américaine, tandis que Mikhaïl Saakachvili ne bénéficiera que d'un soutien verbal de George Bush, malgré les protestations de Dick Cheney. En outre, alors que Franco Tudjman s'est assuré auprès de Slobodan Milosevic, que l'armée yougoslave ne viendrait pas en aide aux Serbes de Krajina, le président géorgien doit compter sur le manque de réactivité supposé des dirigeants russes et la lenteur de leur armée. Contrairement à ce qu'escomptait Mikhaïl Saakachvili, il n'y a pas eu de flottement dans le processus de décision russe, le nouveau président a immédiatement donné l'ordre d'intervenir à son armée. En outre, la partie géorgienne a sous-estimé la combattivité des milices ossètes et surestimé celle de sa propre armée, dont la déroute fut consommée en trois jours. Il semble là aussi, que les estimations de l'OTAN sur les capacités de l'armée russe dans le Caucase aient été complètement erronées.

Les opérations de l'armée russe en Géorgie ont cependant mis à jour de graves carences en son sein. Sa supériorité n'a reposé en fait que sur la qualité de la troupe. Dans certains cas, l'armée géorgienne se trouvait être mieux équipée, notamment grâce à la modernisation de certains matériels, comme les chars lourds ou les avions d'attaque au sol. Paradoxalement, la victoire éclair de son armée en Géorgie a entraîné une remise en cause de la politique de défense russe, mettant en exergue notamment l'obsolescence du complexe militaro-industriel hérité de l'Union soviétique.

CONCLUSION

L'aspect chaotique de la Fédération de Russie pendant les années 1990, ne doit pas masquer le fait, qu'à partir du moment où la Russie s'est libéré des Soviets, elle a pris résolument une direction opposée à celle du totalitarisme et du socialisme. Cela s'est caractérisé par un rejet systématique par sa population, de toute tentative de retour en arrière, quelles que fussent les catastrophes provoquées par l'ouverture trop brutale du pays à l'économie de marché. L'histoire de la Russie de ces vingt dernières années se découpe en deux phases de dix ans chacune. La première est celle de la reconstruction politique du Régime, qui est l'œuvre d'Eltsine et dont la pierre angulaire est la Constitution de 1993. Cette reconstruction est rythmée par plusieurs élections, qui marquent la prise en main par le peuple russe de son destin. La deuxième phase, la plus dynamique, qui est celle de la reprise en main et des grandes réformes économiques, n'aurait pu avoir lieu sans la précédente. Certes la Russie aurait peut-être pu faire l'économie du pillage de son patrimoine industriel par l'oligarchie et de l'appauvrissement massif de sa population pendant les années 1990. Elle a accompli en l'espace de 20 ans un parcours difficile et irrégulier, mais qui l'a résolument orienté vers la modernité.

À la libéralisation anarchique qui fut la sienne au début des années 1990, a succédé une reconstruction méthodique de sa puissance, en consolidant l'État central et en se lançant dans de vastes plans de réformes qui, étant donné la richesse naturelle du pays, n'ont pas tardé à apporter des résultats plus que satisfaisants dans de nombreux domaines. La Russie n'a cependant accompli qu'une partie du parcours nécessaire pour faire d'elle la puissance moderne qu'elle doit devenir. La crise géorgienne d'août 2008 et la crise économique de septembre 2008, si elles ont révélé l'état de faiblesse de la puissance américaine, ont fait cependant prendre un retard conséquent à la seconde vague de réformes nécessaires pour doter la Russie d'une administration moderne et d'une économie performante. C'est donc le défi qui se présente à la Russie aujourd'hui tandis que l'économie mondiale glisse de manière durable dans la crise de l'endettement des pays occidentaux. La Russie dispose pour affronter cette situation d'atouts non négligeables, à commencer par la stabilité de son système politique dont l'efficacité l'a mise à l'abri des situations anarchiques provoquées par les révolutions colorées. La Russie bénéficie également de réserves naturelles considérables, qui lui ont permis notamment de constituer des réserves de changes pour une valeur de plus de $500 milliards. Malgré ces résultats encourageants, il reste à la Russie à relever deux défis majeurs et vitaux pour son existence, la consolidation de la Fédération, notamment dans le Nord-Caucase, et la poursuite du redressement démographique, dont les résultats, même s'ils sont encourageant, restent fragiles.

PROPOSITION DE PLAN

La guerre des 5 jours

INTRODUCTION

I. UNE SITUATION ISSUE DE LA FIN DE L'URSS

A. La Géorgie un État éclaté

1. L'éclatement de l'URSS et les velléités d'indépendance au sein de la Géorgie
2. Les défaites géorgiennes de 1992 à 1993

B. Les ambitions américaines

1. Le rapprochement américain d'Édouard Chevardnadze
2. La « révolution des roses » et l'arrivée de Mikhaïl Saakachvili

C. La radicalisation du régime

1. La conquête de l'Adjarie
2. La mise en place d'un régime policier, les émeutes de novembre 2007

II. LE DÉROULEMENT DES OPÉRATIONS

A. La Géorgie et l'enjeu otanien

1. Le soutien américain
2. La perte de légitimité de Mikhaïl Saakachvili

B. L'échec militaire géorgien

1. Résistance ossète et réactivité russe
2. La guerre éclair russe

C. La fin de l'expansion de l'OTAN

1. Le discrédit du discours moral occidental en Russie
2. Le recul des révolutions colorées

CONCLUSION

Annexes

Le choix des hommes devant faire l'objet de brèves notices biographiques pour illustrer une évolution historique d'ampleur est toujours difficile. Ceux que nous avons retenus ici peuvent se répartir en deux groupes, les hommes d'État et les hommes d'influence. La plupart des acteurs de cette période de l'Histoire russe, particulièrement dense, sont encore en vie et certains d'entre eux auront encore à écrire de grande page de cette Histoire.

Mikhaïl Sergueïevitch Gorbatchev (1931-aujourd'hui)

Homme d'État soviétique d'origine russe. Il arrive au pouvoir en 1985 après cinq ans d'instabilité politique due à la mort rapide de ses prédécesseurs au poste de Secrétaire Général du Parti Communiste d'Union soviétique. Il prend rapidement acte de la situation catastrophique de l'économie soviétique et souhaite maintenir l'URSS en la réformant. Il ouvre une période de détente avec l'Occident où il est extrêmement populaire. Ses réformes économiques et politiques sont un échec à l'intérieur de l'Union soviétique et inaugurent une période d'anarchie qui ne prendra fin qu'avec l'arrivée de Vladimir Poutine à la Présidence. En 1991 il est démis de ses fonctions lors d'une tentative de coup d'État qui échoue devant l'opposition populaire, finalement reprise en main par Boris Eltsine. Il disparaît de la vie politique en même temps que l'URSS en décembre 1991. Aussi populaire en Occident qu'impopulaire en Russie, il échoue aux élections présidentielles de 1996 avec 0,5 % des voix. Il rejoint ou fonde différents mouvements politiques jusqu'à aujourd'hui sans succès réel. Il appartient à l'opposition et critique les manquements démocratiques en Russie depuis l'arrivée de Vladimir Poutine puis Dimitri Medvedev au pouvoir. Son influence en Russie est insignifiante, mais il reste une figure respectée en Occident.

Boris Eltsine (1931-2007)

Boris Eltsine rentre dans l'Histoire de la Russie, en mai 1990, en tant que président du Soviet suprême de la république socialiste soviétique de Russie. Il est un farouche partisan des réformes, mais considère que Mikhaïl Gorbatchev ne va pas assez loin. Son réformisme évolue rapidement vers un anticommunisme radical, idée qu'il conservera jusqu'à la fin de sa vie. Il entre ouvertement en conflit avec Mikhaïl Gorbatchev, qu'il humilie publiquement après l'échec du putsch d'août 1991. Il met fin en décembre de la même année à l'Union soviétique avec ses homologues ukrainien et biélorusse, tout en tentant de reconstruire une union plus souple au sein de la CEI. En 1992, il soutient la « thérapie de choc » menée par Egor Gaïdar, dont les résultats catastrophiques entraînent des troubles dans tout le pays. Il sort vainqueur de la crise constitutionnelle de 1993 et dote la Russie d'une Constitution où le pouvoir exécutif en ressort extrêmement renforcé. Le pillage du patrimoine industriel russe par les oligarques, la paupérisation générale du pays le rendent extrêmement impopulaire. Il est pourtant réélu en 1996, confirmant la volonté du peuple russe de rompre définitivement avec le socialo-communisme. Le 1er janvier 2000, il nomme Vladimir Poutine président intérimaire et le désigne comme son successeur. Très décrié pour ses piètres résultats économiques, il reste cependant l'homme qui fit sortir la Russie du communisme et qui la dota d'une Constitution qui permettra à son successeur de mener à bien les réformes nécessaires au pays. Au contraire de Mikhaïl Gorbatchev, Boris Eltsine est resté populaire en Russie.

Vladimir Poutine (1952-aujourd'hui)

Issu du premier département du KGB (charge des opérations extérieures, devenu SVR en 1991), il est en poste à Berlin au moment de la chute du Mur. Il rentre ensuite au service d'Anatoli Sobtchak, dont il est l'ancien élève, comme conseiller aux affaires internationales. Celui-ci, maire de Saint-Pétersbourg est considéré comme le premier grand réformateur en Russie. Il rejoint l'administration Eltsine à Moscou en et devient successivement chef du FSB et Premier ministre en 1999. Il entreprend les premières réformes et assume victorieusement la conduite de la deuxième guerre en Tchétchénie qui voit l'écrasement du gros des troupes séparatistes et islamistes en février 2000. De 2000 à 2004, il lance un train de réformes fondamentales qui visent à restaurer le pouvoir central d'une Fédération de Russie en pleine déliquescence. Il lance également une grande réforme fiscale qui lui vaut l'hostilité des oligarques notamment de Mikhaïl Khodorkovsky. En 2008, en respect de la Constitution russe, il laisse la place à Dimitri Medvedev à la Présidence de la Fédération.

Dimitri Anatolievitch Medvedev (1965-aujourd'hui)

Ancien élève d'Anatoli Sobtchak à la faculté de droit de Saint-Pétersbourg, il est, dès le début, une des personnes les plus proches de Vladimir Poutine qui lui confit les dossiers sensibles de sa Présidence. Il devient président de la Fédération de Russie en 2008 et doit immédiatement faire face à l'offensive géorgienne contre l'Ossétie du Sud et à la crise économique de septembre 2008. Il met en application avec Vladimir Poutine un plan de gestion de crise qui porte ses fruits en évitant cette fois l'effondrement du rouble, du système bancaire et en utilisant les réserves financières constituées depuis 8 ans pour refinancer les entreprises russes.

Annexes

Guennadi Andreïevitch Ziouganov (1944-aujourd'hui)

Ce communiste pur et dur s'oppose dès les années 1980 aux réformes de Mikhaïl Gorbatchev. En 1993, il crée le Parti communiste de la Fédération de Russie (KPRF), qui connaît son apogée aux élections Parlementaires de 1995 où il devient la première force politique à la Douma. Son discours nostalgique communiste et le soutien massif des milieux d'affaires russes à son concurrent, Boris Eltsine, le font échouer à la présidentielle de 1996 face au président sortant. L'arrivée de Vladimir Poutine au pouvoir, le redressement économique du pays et l'érosion de sa base électorale vieillissante entraîne le déclin progressif du KPRF, bien qu'il reste le premier parti d'opposition en Russie.

Vladimir Wolfovitch Jirinovsky (1946-aujourd'hui)

Ancien colonel de l'armée rouge et fondateur du parti nationaliste, le Parti libéral démocrate de Russie (LDPR). La période d'instabilité qui suit la disparition de l'URSS est favorable à l'essor du LDPR, mais son discours politique rudimentaire et outrancier l'empêche de devenir un acteur politique sérieux en Russie. Jirinovsky n'arrive qu'en cinquième position lors de l'élection présidentielle de 1996. Le LDPR est aujourd'hui la troisième force politique en Russie représentée à la Douma. Ses propositions de ralliement à Vladimir Poutine ont toujours été rejetées avec mépris par ce dernier. Le LDPR a souvent été accusé d'être une « créature » du KGB puis du FSB pour détourner les votes nationalistes d'un parti sérieux et pour les reporter in fine vers le candidat du Kremlin.

Boris Berezovsky (1946-aujourd'hui)

Surnommé l'éminence grise du Kremlin. Il est l'un des personnages les plus emblématiques de la période Eltsine. Sa fortune trouve son origine dans la vente frauduleuse des voitures produites par la société d'État AvtoVaz. Il entre en conflit avec d'autres oligarques comme Vladimir

Gussinsky. Il parvient ensuite à se rapprocher de la « famille » Eltsine. Il s'empare alors d'actifs pétroliers et industriels, puis de la gestion de la compagnie Aeroflot, qu'il amène au bord de la faillite.

L'éditeur de la version russe du magazine *Forbes*, le russo-américain Paul Khlebnikov, lui consacre un ouvrage très critique, « le parrain du Kremlin ». Sa liberté de parole lui vaut d'être assassiné le 9 juillet 2004 à Moscou. Le soutien ouvert de Paul Khlebnikov à la politique de restauration de l'État de Vladimir Poutine explique que son assassinat a eu très peu d'écho en France, contrairement à celui d'Anna Politovskaïa deux ans après.

Sergei Victorovitch Lavrov (1950-aujourd'hui)

Issu de l'élite soviétique forme a l'Institut d'État des Relations Internationales de Moscou (MGIMO), Sergei Lavrov conduit une carrière diplomatique a la fois classique et brillante. De 1994 à 2004, il occupe le poste de représentant de la Fédération de Russie à l'ONU, puis en 2004, au moment de la réélection de Vladimir Poutine à la Présidence, il devient Ministre des Affaires étrangères. Il mène fermement une politique étrangère fondée sur le respect de la souveraineté des Nations, le respect du droit international et le respect des résolutions de l'ONU. Il est considéré par ses pairs comme l'un des diplomates les plus brillants de sa génération.

Mikhaïl Borisovitch Khodorkovsky (1963-aujourd'hui)

Il débute sa carrière comme membre influent du Komsomol de Moscou (organisation de jeunesse soviétique où étaient recrutés les futurs cadres du parti communiste). C'est grâce aux fonds de cette organisation et à ses liens avec le parti communiste qu'il fonde sa banque, la MENATEP. Il s'empare ensuite des actifs de la compagnie Yukos grâce au système prêts contre actions. La privatisation de Yukos est émaillée de nombreux assassinats et se fait au mépris le plus absolu du droit des actionnaires

Annexes

minoritaires, notamment étrangers. Khodorkovsky se lie par la suite avec les milieux d'affaires états-uniens et dépense sans compter auprès des agences de communication pour se construire une image positive, abusant les très complaisants médias occidentaux.

À partir de 2003, Il se met à financer toutes les oppositions possibles à la Douma, des communistes jusqu'aux libéraux. Il espère ainsi former un groupe parlementaire lui permettant de bloquer la réforme fiscale qu'a entreprise Vladimir Poutine. L'oligarque a également l'intention de faire entrer massivement des compagnies américaines dans l'actionnariat de Youkos, que ce soit Chevron ou Exxon. Enfin, il veut s'affranchir du monopole du transport des hydrocarbures de « Transneft » et construire avec les Chinois, un pipeline qui relierait directement ses forages à la Chine. Il est peu vraisemblable que Khodorkovsky ait eu une ambition politique personnelle, trop intelligent pour ne pas savoir qu'il représente tout ce que le peuple russe haït. La condamnation de Khodorkovsky et de ses associés, extrêmement populaire auprès des Russes, marque réellement la fin du système oligarchique en Russie. Il semble en outre que Vladimir Poutine considère personnellement, que Khodorkovsky doive payer pour les crimes de sang trop nombreux qui ont entouré la privatisation de Youkos, notamment celle du maire de Youganskneft, le jour de l'anniversaire de l'oligarque. C'est dans ce sens que Vladimir Poutine a comparé dernière-ment la situation de Khodorkovsky à celle d'Al Capone, ce mafieux américain, condamné non pas pour ses crimes de sang, improuvables, mais pour fraude fiscale.

Vladimir Olegovitch Potanine (1961-aujourd'hui)

Comme Sergei Lavrov, il est issu du prestigieux MGIMO. À la fin de l'Union soviétique, il occupe un poste clé dans une structure du ministère du commerce extérieur, « SoyouzPromExport ». Ce poste lui permet de construire son réseau et lui permet de s'enrichir considérablement. Il crée son groupe financier, INTERROS, et sa banque, ONEXIM. En 1995, il est le concepteur du système de prêts contre actions, qui permet aux banquiers d'acquérir à peu de frais des pans entiers de l'industrie russe. Pour quelques centaines de millions de dollars prêtés à l'État russe à la limite de la banqueroute, les oligarques s'emparent alors d'actifs qui en valent plusieurs milliards. Vladimir Potanine, grâce à ce système, s'empare de Norilsk Nickel. Pendant la Présidence Eltsine, entre 1996 et 1997 il devient vice Premier ministre de Victor Tchernomyrdine. Il a aujourd'hui pris ses distances avec le pouvoir et n'apparaît quasiment plus sur la scène politique. Sa fortune était évaluée en 2010 à plus de $10 milliards.

Anatoli Borissovitch Tchoubaïs (1955-aujourd'hui)

Personnalité brillante et controversée. En 1987, il entre au club des jeunes réformateurs du parti communiste. Il est de ceux qui jugent insuffisantes les réformes de Mikhaïl Gorbatchev. En 1990, il devient conseiller économique du maire de Leningrad, Anatoli Sobtchak. Il est à l'origine avec Egor Gaïdar, de la thérapie de choc, imposée à la Russie pour la faire basculer dans l'économie de marche brutalement. Le système de privatisation qu'il met en place mène la Russie dans des crises économiques successives les plus graves de son Histoire. Sans être considéré lui-même comme un oligarque, il est à l'origine de la fortune de beaucoup d'entre eux. Très critiqué pour ses choix politiques et économiques durant les années Eltsine, ses compétences lui ont pourtant valu de diriger la très sensible restructuration du monopole électrique d'État RAO EES de 2001 à 2008. Fin 2008, il se voit confier l'un des projets phares du Kremlin, le conglomérat d'État chargé de développer les hautes technologies, ROSNANO.

Egor Timourovitch Gaïdar (1956-2009)

Économiste de formation, il rejoint Eltsine en juin 1992, comme Premier ministre afin de mener les nécessaires réformes économiques. Le remède qu'il impose à un pays ruiné par le socialisme s'avère pire que le mal. S'inspirant de Jeffrey Sachs et des économistes de l'école de Chicago, il lance une libéralisation massive des prix qui provoque la ruine de la population russe, et la quasi-disparition du système de santé. Il instaure une politique de privatisations massives sans contrôle réel, qui entraîne le pillage du patrimoine soviétique au profit de la mafia et des futurs oligarques.

Son héritage est encore aujourd'hui source de controverse en Russie, entre ceux qui prétendent que la situation économique de l'Union soviétique ne laissait pas d'alternative, et ceux qui croit, comme le libéral Grigori Yavlinsky, que des réformes plus progressives et étalées dans le temps et donc moins douloureuses pour la population étaient possibles.

Bibliographie succincte

Boris Eltsine, *Mémoires*, Flammarion, 2000.

Evgueni Primakov, *Au cœur du pouvoir*, Éditions des Syrtes, 2002.

Paul Klebnikov, *Parrain du Kremlin*, Robert Laffont, 2001.

Pierre Lorrain, *La Mystérieuse ascension de Vladimir Poutine*, Éditions du Rocher, 2000.

Pascal Marchand, *Géopolitique de la Russie*, Ellipses, 2007.

Jürgen Elsässer, *La RFA dans la guerre au Kosovo*, L'Harmattan, 2002.

Gelman V. et Elezarov V., *"Učreditel'nye vybory" v kontekste rossijskoj transformacii.// Pervyj èlektoral'nyj cikl v Rossii (1993-1996)*, Éditions Ves'Mir, 2000, p. 13-43.

Andrei Melvil, *Demokratičeskie tranzity : Teoretiko-metodologičeskie i prikladnye aspekty*, Éditions Moskovskij obšestvennyj naučnyj fond 1999.

Anne Gazier, « Les pouvoirs locaux dans les régions russes du Centre-Terres noires. Transition ou opposition ? », *Cahiers du CERI*, 1994.

Herbert J. Ellison, *Boris Yeltsin and Russia's Democratic Transformation*, University of Washington Press, 2006.

Cédric Durand, « Les privatisations en Russie et la naissance d'un capitalisme oligarchique », *Recherches internationales*, vol. 74, juil.-sept. 2005, p. 33-50.

Jean-Robert Raviot, « Russie : qui gouverne les régions ? », *La Documentation française*, Problèmes politiques et sociaux, n° 783, p. 80.

Jean-Robert Raviot, « Les rapports Centre-régions en Russie : rééquilibrage et continuité », *Le Courrier des Pays de l'Est*, n° 1033, p. 4-16.

Jacques Sapir, *Le Chaos russe*, La Découverte, Paris, 1996.

Jean Radvanyi, *La Nouvelle Russie*, Armand Colin, 2010.

Arnaud Kalika, *La Russie en guerre. Mythes et réalités tchétchènes*, Ellipses, 2005.

Rouslan Poukhov (sous la direction de), *Les Chars d'août*, Centre d'analyse des stratégies et des technologies, Moscou, Russie.

Tsentr Strategicheskykh Razrabotok, http://www.csr.ru

Table des matières

AUBIN IMPRIMEUR

Achevé d'imprimer en juin 2012
N° d'impression 1205.0382
Dépôt légal, juin 2012
Imprimé en France